KU-084-633

Édition originale
Cet ouvrage a été publié pour la première fois en 2003
sous le titre *Good Food 101 Veggie Dishes*
par BBC Books, une marque de Ebury Publishing,
un département de The Random House Group Ltd.

Photographies © BBC Good Food Magazine 2003 et BBC Vegetarian Good Food Magazine 2003
Recettes © BBC Good Food Magazine 2003 et BBC Vegetarian Good Food Magazine 2003
Maquette © Woodlands Books 2003
Toutes les recettes de ce livre ont été publiées pour la première fois
dans BBC Good Food Magazine et BBC Vegetarian Good Food Magazine.

Édition française
Direction éditoriale Véronique de FINANCE-CORDONNIER
Édition Julie TALLET
Traduction Irène LASSUS
Direction artistique Emmanuel CHASPOUL
Réalisation Laurence ALVADO
Couverture Véronique LAPORTE
Fabrication Annie BOTREL

© Larousse 2010, pour l'édition française

Les Éditions Larousse utilisent des papiers composés de fibres naturelles,
renouvelables, recyclables et fabriqués à partir de bois issus de forêts
qui adoptent un système d'aménagement durable. En outre, les Éditions Larousse
attendent de leurs fournisseurs de papier qu'ils s'inscrivent dans une démarche
de certification environnementale reconnue.

ISBN : 978-2-03-585179-6
ISSN : 2100-3343

LAROUSSE
Cuisine Cie

RECETTES
VÉGÉTARIENNES
équilibrées
& saines...

RECETTES
VÉGÉTARIENNES

équilibrées
& saines...

Orlando Murrin

LAROUSSE

21 rue du Montparnasse 75283 Paris Cedex 06

Sommaire

Introduction

Manger végétarien, ce n'est pas simplement bannir de son
alimentation viandes et poissons, et ne manger que des pousses
de soja ou du tofu... Ce n'est pas non plus un mode d'alimentation
réservé aux seuls végétariens purs et durs...

La cuisine végétarienne est bien plus que cela. C'est souvent
une hygiène de vie. Elle est saine, équilibrée, variée et copieuse !
Elle s'adresse aussi bien aux végétariens qu'à ceux soucieux
d'équilibrer leur alimentation de temps en temps.

Pensez à consommer des légumes et fruits de saison, des produits
de qualité, cultivés sans engrais ni pesticides. Hors saison, préférez
les légumes surgelés.

Toutes ces recettes sont simples et ont été testées à plusieurs
reprises et leur succès est garanti. Alors n'hésitez pas à recevoir
vos amis autour d'un plat végétarien simple comme le couscous
au halloumi et aux herbes (recette page 80). Vous vous régalerez !

Bon appétit et à vos fourneaux !

À propos des recettes

• Lavez tous les produits frais
avant préparation.

• On trouve dans le commerce
des petits œufs (de moins de 45 g),
des œufs moyens (de 45 à 55 g),
des gros œufs (de 55 à 65 g)
et des extra-gros (de plus de 65 g).
Sauf indication contraire, les œufs utilisés
pour les recettes sont de calibre moyen.

• Sauf indication contraire, les cuillerées
sont rases.
  1 cuillerée à café = 0,5 cl
  1 cuillerée à soupe = 1,5 cl

• Toutes les recettes réalisées
avec des légumes en conserve peuvent,
bien sûr, se cuisiner avec des légumes frais,
et inversement. De la même manière, il est
possible d'utiliser des cubes pour les bouillons
de légumes, ou de les préparer vous-même
si vous en avez le temps.

TABLEAU INDICATIF DE CUISSON

THERMOSTAT	TEMPÉRATURE
1	30 °C
2	60 °C
3	90 °C
4	120 °C
5	150 °C
6	180 °C
7	210 °C
8	240 °C
9	270 °C
10	300 °C

Ces indications sont valables pour un four électrique traditionnel.
Pour les autres fours, reportez-vous à la notice du fabricant.

TABLEAUX DES ÉQUIVALENCES FRANCE – CANADA

POIDS

55 g	2 onces
100 g	3,5 onces
150 g	5 onces
200 g	7 onces
250 g	9 onces
300 g	11 onces
500 g	18 onces
750 g	27 onces
1 kg	36 onces

Ces équivalences permettent de calculer le poids
à quelques grammes près (en réalité, 1 once = 28 g).

CAPACITÉS

25 cl	9 onces
50 cl	17 onces
75 cl	26 onces
1 l	35 onces

Pour faciliter la mesure des capacités,
25 cl équivalent ici à 9 onces (en réalité, 23 cl = 8 onces = 1 tasse).

Une soupe verte, onctueuse et savoureuse...

Velouté aux épinards et à la sauge

Pour 4 personnes
Préparation et cuisson : 40 min

- 2 oignons rouges
- 50 g de beurre
- 3 gousses d'ail
- 500 g de pommes de terre
- 15 g de feuilles de sauge ciselées
+ quelques feuilles entières
pour décorer
- 1,5 l de bouillon de légumes
- 250 g de pousses d'épinard
- 4 cuill. à soupe de crème fraîche
- sel et poivre du moulin

1 Pelez et hachez les oignons. Dans une casserole, chauffez le beurre et faites fondre les oignons pendant 5 ou 6 minutes à feu doux. Épluchez et écrasez l'ail. Coupez les pommes de terre en morceaux. Ajoutez l'ail, les pommes de terre et la sauge ciselée dans la casserole. Couvrez et laissez cuire 10 minutes à feu très doux.

2 Versez le bouillon de légumes, portez à ébullition et laissez frémir 5 minutes. Ajoutez les épinards et laissez encore frémir 2 minutes. Versez dans le bol d'un mixeur et réduisez en velouté (faites-le en plusieurs fois, si nécessaire).

3 Reversez dans la casserole et réchauffez à feu doux. Salez et poivrez. Servez dans les bols avec 1 cuillerée de crème fraîche dans chacun. Donnez un tour de moulin à poivre et décorez de feuilles de sauge entières.

- Par portion : 265 Calories – Protéines : 7 g – Glucides : 28 g – Lipides : 14 g (dont 9 g de graisses saturées) – Fibres : 4 g – Sel : 1,67 g – Pas de sucres ajoutés.

L'association céleri-rave et bleu est une vraie réussite!

Velouté de céleri-rave au bleu

Pour 4 personnes
Préparation et cuisson : 35 min

- 1 oignon moyen
- 25 g de beurre
- 750 g de céleri-rave
- 1 grosse pomme de terre
- 2 cuill. à soupe de feuilles de sauge ciselées
- 60 cl de bouillon de légumes
- 30 cl de crème liquide
- 225 g de fromage bleu (bleu d'Auvergne, stilton…)
- ciboulette et feuilles de sauge frites pour décorer
- sel et poivre du moulin

1   Pelez et hachez l'oignon. Dans une casserole, chauffez le beurre et faites fondre l'oignon. Coupez le céleri-rave et la pomme de terre en morceaux. Ajoutez à l'oignon les légumes et la sauge ciselée, puis faites revenir 5 minutes. Versez le bouillon de légumes et portez à ébullition. Couvrez et laissez frémir 15 minutes, jusqu'à ce que les légumes soient tendres.

2   Versez dans le bol d'un mixeur et réduisez en velouté (faites-le en plusieurs fois, si nécessaire). Reversez dans la casserole et ajoutez la crème liquide. Détaillez le fromage en dés et incorporez-en la moitié. Laissez frémir à feu doux jusqu'à ce qu'il soit fondu. Salez et poivrez.

3   Répartissez le velouté dans les bols et parsemez du reste de fromage. Garnissez de ciboulette et de feuilles de sauge frites.

- Par portion : 488 Calories – Protéines : 17 g – Glucides : 27 g – Lipides : 35 g (dont 22 g de graisses saturées) – Fibres : 9 g – Sel : 2,78 g – Pas de sucres ajoutés.

Rien de plus simple pour réchauffer du riz :
mettez-le dans du bouillon chaud, il continuera à l'absorber même cuit.

Soupe au riz et au chou vert

Pour 4 personnes
Préparation et cuisson : 35 min

- 1 oignon
- 2 gousses d'ail
- 1 cuill. à soupe d'huile d'olive
- 100 g de riz à risotto (arborio)
- 1 citron
- 1,5 l de bouillon de légumes
- 2 grosses tomates
- 225 g de chou vert sans les côtes
- 120 g de pesto
- un peu de parmesan pour décorer
- sel et poivre du moulin

1 Pelez et hachez l'oignon, épluchez et écrasez l'ail. Dans une casserole, chauffez l'huile d'olive et faites fondre l'oignon et l'ail pendant 3 ou 4 minutes. Ajoutez le riz et laissez revenir 1 minute en remuant.

2 Prélevez finement le zeste du citron à l'aide d'un zesteur ou d'un couteau Économe et pressez le jus. Ajoutez le zeste et le jus de citron ainsi que le bouillon de légumes dans la casserole. Portez à ébullition et laissez frémir 15 minutes.

3 Épépinez et concassez les tomates, émincez le chou. Ajoutez ces ingrédients et le pesto. Portez à ébullition et laissez frémir 4 ou 5 minutes, jusqu'à ce que le riz soit tendre. Salez et poivrez. À l'aide du couteau Économe, prélevez des copeaux de parmesan. Servez chaud dans les bols en répartissant les copeaux.

- Par portion : 409 Calories – Protéines : 12 g – Glucides : 33 g – Lipides : 26 g (dont 5 g de graisses saturées) – Fibres : 3 g – Sel : 1,93 g – Pas de sucres ajoutés.

Vous trouverez la citronnelle et les feuilles de kaffir
dans les épiceries asiatiques.

Soupe au maïs et à la citronnelle

Pour 4 personnes

Préparation et cuisson : 35 min

- 1 épi de maïs
- 1 piment rouge
- 1 poivron rouge
- 3 jeunes poireaux ou cives
- 2 tiges de citronnelle
- 1 échalote
- 1 cuill. à soupe d'huile végétale
- 40 cl de lait de coco
- 85 cl de bouillon de légumes
- 2 feuilles de kaffir ou de citron vert (facultatif)
- 175 g de nouilles chinoises
- 1 citron vert
- 1 bouquet de coriandre
- sel

1 D'une main, tenez l'épi de maïs verticalement sur une planche à découper et, à l'aide d'un couteau pointu, détachez les grains. Épépinez et émincez finement le piment et le poivron. Émincez les poireaux ou les cives. Écrasez les tiges de citronnelle. Pour finir, pelez et hachez finement l'échalote. Dans une casserole, chauffez l'huile et ajoutez tous ces ingrédients. Laissez fondre 3 ou 4 minutes en remuant de temps en temps.

2 Versez le lait de coco, le bouillon de légumes, puis incorporez, éventuellement, les feuilles de kaffir ou de citron vert. Portez à ébullition et couvrez. Laissez frémir 15 minutes à feu doux. Retirez la citronnelle. Ajoutez les nouilles et laissez cuire 4 minutes, jusqu'à ce qu'elles soient tendres.

3 Pressez le jus du citron vert et ciselez grossièrement la coriandre. Enlevez la casserole du feu et incorporez, en remuant, ces derniers ingrédients. Salez, si nécessaire, et servez aussitôt.

- Par portion : 545 Calories – Protéines : 11 g – Glucides : 41 g – Lipides : 39 g (dont 27 g de graisses saturées) – Fibres : 9 g – Sel : 0,97 g – Pas de sucres ajoutés.

Le safran donne une belle couleur orangée
et ajoute une note parfumée à ce simple velouté de poireaux.

Velouté de poireaux safrané

Pour 4 personnes
Préparation et cuisson : 35 min

- 4 poireaux moyens
- 50 g de beurre
- 1 cuill. à soupe d'huile d'olive
- 1 pincée de filaments de safran
- 2 cuill. à soupe de farine
- 1,25 l de bouillon de légumes
- huile végétale pour frire
- 1 blanc d'œuf
- 1 cuill. à soupe de fécule de maïs
- 2 cives
- sel et poivre du moulin

1 Émincez 8 cm de blanc de poireau, séparez en anneaux et réservez. Hachez grossièrement le reste. Dans une casserole, chauffez le beurre et l'huile d'olive, puis laissez fondre les poireaux hachés pendant 1 minute en remuant. Ajoutez le safran et la farine. Incorporez petit à petit le bouillon de légumes en remuant. Portez à ébullition, puis laissez frémir 10 minutes à feu doux, jusqu'à épaississement, en remuant souvent.

2 Versez dans le bol d'un mixeur et réduisez en velouté (faites-le en plusieurs fois, si nécessaire). Reversez dans la casserole, salez, poivrez et réchauffez doucement.

3 Pendant ce temps, chauffez l'huile végétale dans une poêle. Battez légèrement le blanc d'œuf. Passez les anneaux de poireau réservés dans la fécule de maïs, secouez l'excédent, puis trempez-les dans le blanc d'œuf. Faites dorer les anneaux dans l'huile chaude, puis égouttez-les sur du papier absorbant. Épluchez et ciselez les cives en diagonale. Servez le velouté parsemé d'anneaux de poireau frits et de cives.

- Par portion : 219 Calories – Protéines : 4 g – Glucides : 12 g – Lipides : 17 g (dont 7 g de graisses saturées) – Fibres : 2 g – Sel : 1,34 g – Pas de sucres ajoutés.

Vous pouvez remplacer les haricots blancs par d'autres légumes secs.

Méli-mélo tiède de céleri et haricots blancs

Pour 4 personnes
Préparation et cuisson : 40 min

- 1 ½ céleri branche
- 50 g de beurre
- 1 cuill. à soupe de romarin frais ciselé
- 15 cl de vin blanc sec
- 15 cl de bouillon de légumes
- 1 pincée de filaments de safran
- 450 g de tomates
- 1/2 citron
- 400 g de haricots blancs en conserve
- 50 g d'olives noires dénoyautées
- 1 poignée de feuilles de persil plat
- sel et poivre du moulin

1   Émincez le céleri en diagonale. Dans une casserole, faites fondre le beurre et ajoutez le céleri et le romarin. Couvrez et laissez frémir 10 minutes, sans laisser colorer.

2   Versez le vin et le bouillon de légumes, puis ajoutez le safran. Portez à ébullition et laissez bouillir de 8 à 10 minutes, jusqu'à ce que le liquide ait réduit de moitié.

3   Incisez la peau des tomates et plongez-les quelques minutes dans de l'eau bouillante. Pelez, épépinez, puis coupez les tomates en quartiers. Prélevez finement le zeste du citron à l'aide d'un zesteur ou d'un couteau Économe et pressez le jus. Incorporez les tomates, le zeste et le jus de citron. Égouttez et rincez les haricots blancs, puis ajoutez-les. Portez à ébullition et laissez mijoter 5 minutes. Ajoutez les olives, salez et poivrez. Laissez tiédir. Ciselez grossièrement le persil plat, parsemez-en le plat et servez aussitôt.

- Par portion : 262 Calories – Protéines : 9 g – Glucides : 23 g – Lipides : 13 g (dont 7 g de graisses saturées) – Fibres : 9 g – Sel : 2,32 g – Pas de sucres ajoutés.

Le goût acidulé des kumquats contraste avec le parfum automnal des champignons et la douceur des oignons rouges.

Salade chaude de champignons aux kumquats

Pour 2 personnes
Préparation et cuisson : 30 min

- 250 g d'un mélange de champignons (champignons de Paris, pleurotes…)
- 50 g de kumquats
- 1 oignon rouge
- 5 cuill. à soupe d'huile d'olive
- 50 g de tranches de pain de mie sans la croûte
- 1 pincée de piment en poudre
- 85 g de roquette
- 1 cuill. à soupe de vinaigre de vin blanc
- sel et poivre du moulin

1   Émincez les champignons et les kumquats, pelez et émincez aussi l'oignon. Dans une poêle, chauffez 1 cuillerée à soupe d'huile d'olive et faites revenir les champignons pendant 2 ou 3 minutes. Ajoutez les autres ingrédients préparés et faites encore revenir 2 ou 3 minutes. Retirez et gardez au chaud.

2   Détaillez le pain en cubes. Mélangez le pain, le piment et 1 cuillerée d'huile. Salez et poivrez généreusement. Dans la poêle, chauffez 1 cuillerée d'huile et faites dorer les croûtons. Répartissez la roquette sur les assiettes, posez dessus les champignons et les kumquats réservés et finissez par les croûtons.

3   Au fouet, mélangez le restant d'huile et le vinaigre, salez, poivrez et arrosez la salade. Servez aussitôt

- Par portion : 488 Calories – Protéines : 6 g – Glucides : 19 g – Lipides : 39 g (dont 6 g de graisses saturées) – Fibres : 4 g – Sel : 0,46 g – Pas de sucres ajoutés.

Si vous préférez les fromages moins salés, remplacez la feta par du pecorino, du grana padano ou du fontina.

Salade croustillante aux deux fromages

Pour 4 personnes

Préparation et cuisson : 30 min

- 2 tranches épaisses de pain de mie sans la croûte
- 1 gousse d'ail
- 2 cuill. à soupe d'huile d'olive
- 1 cuill. à café de paprika
- 1 laitue romaine
- 1 grosse courgette
- 2 avocats mûrs
- 2 cuill. à soupe de jus de citron
- 140 g de feta
- 25 g de parmesan finement râpé
- 6 cuill. à soupe de vinaigrette à l'huile d'olive prête à l'emploi
- sel et poivre du moulin

1 Préchauffez le four à 220 °C (therm. 7-8). Coupez le pain en cubes de 2 cm de côté. Épluchez et écrasez l'ail. Mélangez l'huile d'olive, l'ail et le paprika, puis enrobez-en les cubes de pain. Répartissez les cubes de pain sur une feuille de papier sulfurisé. Enfournez et laissez cuire 7 ou 8 minutes, jusqu'à ce que les croûtons soient bien dorés.

2 Détaillez les feuilles de la laitue en morceaux et la courgette en bâtonnets. Coupez les avocats en deux, retirez les noyaux et la peau, puis coupez-les en tranches. Mélangez-les avec le jus de citron, salez et poivrez. Coupez la feta en morceaux.

3 Mélangez la laitue, la courgette, la feta et les croûtons. Disposez le tout dans un saladier avec l'avocat et parsemez de parmesan. Versez la vinaigrette et servez aussitôt.

- Par portion : 453 Calories – Protéines : 12 g – Glucides : 12 g – Lipides : 40 g (dont 10 g de graisses saturées) – Fibres : 4 g – Sel : 1,92 g – Pas de sucres ajoutés.

Une salade estivale à base de légumes du jardin, de fromage et de menthe fraîche. Saine, légère et savoureuse!

Salade estivale

Pour 4 personnes
Préparation et cuisson : 30 min

- 500 g de pommes de terre nouvelles
- 350 g de haricots d'Espagne
- 1 bouquet de cives
- 240 g de tomates confites ou séchées
- 225 g de cantal
- 1 poignée de feuilles de menthe
- 4 ou 5 cuill. à soupe de vinaigrette à base de miel et de moutarde prête à l'emploi
- sel

1 Coupez les pommes de terre en tranches épaisses sans les éplucher. Faites-les cuire 7 minutes dans de l'eau bouillante salée. Détaillez les haricots en tronçons, ajoutez-les et faites encore cuire de 7 à 9 minutes, jusqu'à ce que les légumes soient tendres.

2 Égouttez les légumes et rafraîchissez-les sous l'eau courante. Secouez bien l'égouttoir pour les débarrasser de leur eau et versez-les dans un saladier. Épluchez et émincez les cives, puis ajoutez-les avec les tomates. Émiettez le fromage, incorporez-le et mélangez intimement.

3 Ciselez grossièrement la menthe. Incorporez presque toute la menthe, versez la vinaigrette et mélangez délicatement. Avant de servir, arrosez d'un dernier filet de vinaigrette et décorez avec le reste de menthe.

- Par portion : 427 Calories – Protéines : 18 g – Glucides : 29 g – Lipides : 11 g (dont 6 g de graisses saturées) – Fibres : 6 g – Sel : 2,39 g – Pas de sucres ajoutés.

Vous pouvez remplacer la feta marinée par de la feta nature.
Ajoutez alors 2 cuillerées à soupe d'huile d'olive.

Salade de feta aux pêches grillées

Pour 4 personnes
Préparation et cuisson : 10 min

- 1 citron vert
- 4 pêches
- 1 oignon rouge
- 200 g d'un mélange de feuilles de salade
- 300 g de feta marinée
- 2 cuill. à soupe de menthe ciselée
- sel et poivre du moulin

1 Chauffez vivement une plaque en fonte légèrement huilée. Pressez le citron vert. Coupez les pêches en quartiers sans les éplucher et arrosez-les du jus de citron vert. Posez les pêches sur la plaque et faites-les griller 2 ou 3 minutes en les retournant, jusqu'à ce qu'elles soient légèrement carbonisées.

2 Pelez et émincez l'oignon. Dans un saladier, réunissez l'oignon, la salade, la feta, 2 cuillerées à soupe de l'huile de marinade et la menthe. Mélangez bien. Salez et poivrez généreusement.

3 Répartissez la salade dans les assiettes et garnissez de pêches grillées. Donnez un tour de moulin à poivre et servez.

• Par portion : 272 Calories – Protéines : 11 g – Glucides : 11 g – Lipides : 21 g (dont 9 g de graisses saturées) – Fibres : 2 g – Sel : 2,32 g – Pas de sucres ajoutés.

Choisissez un fromage de chèvre moelleux,
vos toasts n'en seront que meilleurs...

Salade de chèvre chaud

Pour 1 personne
Préparation et cuisson : 10 min

- 100 g de bûchette de chèvre
  (type Sainte-Maure)
- 4 tranches de baguette
- 4 cuill. à café d'huile d'olive
- 1 gousse d'ail
- 1 cuill. à café de jus de citron
  ou de vinaigre de vin blanc
- 1/2 cuill. à café de moutarde en grains
- 1 poignée d'un mélange de feuilles
  de salade
- sel et poivre du moulin

1   Préchauffez le gril du four au maximum.
Retirez les extrémités du fromage, puis coupez-le
en quatre tranches. Faites griller le pain sur
les deux faces et posez dessus le fromage.

2   Poivrez généreusement et arrosez de 1 filet
d'huile d'olive. Faites griller 2 ou 3 minutes.

3   Pendant ce temps, épluchez et hachez l'ail.
Mélangez le reste d'huile, le jus de citron ou le
vinaigre, la moutarde et l'ail. Salez et poivrez. Versez
sur la salade et mélangez. Garnissez une assiette
de salade, posez dessus les toasts au fromage
et servez.

• Par portion : 509 Calories – Protéines : 19 g –
Glucides : 16 g – Lipides : 42 g (dont 15 g de graisses
saturées) – Fibres : 1 g – Sel : 1,84 g – Pas de sucres
ajoutés.

Sous vide, la feta se conserve bien au réfrigérateur.
Faites en sorte de toujours en avoir un paquet d'avance.

Salade de flageolets à la feta

Pour 4 personnes
Préparation : 20 min

- 100 g de pousses d'épinard
- 300 g de grosses tomates
- 400 g de flageolets en conserve
- 1 petit oignon rouge
- 200 g de feta

POUR L'ASSAISONNEMENT
- 1 gousse d'ail
- 1 cuill. à soupe de jus de citron
- 1 cuill. à café de miel
- 3 cuill. à soupe d'huile d'olive

1   Dans un plat creux, disposez les épinards. Coupez les tomates en quartiers, égouttez et rincez les flageolets, pelez et hachez finement l'oignon. Répartissez ces ingrédients sur les épinards.

2   Égouttez la feta et émiettez-la sur les légumes.

3   Préparez l'assaisonnement. Épluchez et hachez finement l'ail. Dans un bol, réunissez tous les ingrédients et battez avec une fourchette pour faire légèrement épaissir. Arrosez la salade et servez.

• Par portion : 515 Calories – Protéines : 31 g – Glucides : 56 g (Lipides : 20 g (dont 8 g de graisses saturées) – Fibres : 19 g – Sel : 2,05 g – Sucres ajoutés : 1 g.

Enrichissez simplement la traditionnelle salade grecque
en y ajoutant des pâtes.

Salade de pâtes à la grecque

Pour 4 personnes
Préparation et cuisson : 30 min

- 300 g de fusilli, de farfalle ou de penne
- 225 g de pousses d'épinard
- 250 g de tomates cerises
- 225 g de feta
- 100 g d'olives noires (de Kalamata)
- 3 cuill. à soupe d'huile d'olive
- sel et poivre du moulin

1   Faites cuire les pâtes pendant 10 minutes dans une grande quantité d'eau bouillante salée. Ajoutez les épinards, remuez et laissez encore cuire 2 minutes. Égouttez soigneusement.

2   Coupez les tomates cerises en deux et émiettez grossièrement la feta. Dans un saladier, réunissez ces ingrédients avec les olives. Poivrez généreusement et arrosez d'huile d'olive.

3   Ajoutez les pâtes et les épinards, remuez délicatement et servez.

- Par portion : 418 Calories – Protéines : 18 g – Glucides : 37 g – Lipides : 23 g (dont 8 g de graisses saturées) – Fibres : 5 g – Sel : 3,48 g – Sucres ajoutés : 0,1 g.

Le tzatziki est une spécialité grecque à base de yaourt et de concombre parfumée à la menthe.

Sandwich au tzatziki et à la betterave

Pour 1 personne
Préparation : 10 min

- 2 tranches épaisses de pain aux céréales
- 1 noix de beurre ramolli
- 1 morceau de concombre de 4 cm de long
- 3 cuill. à soupe de yaourt à la grecque
- 2 cuill. à soupe de menthe ciselée + feuilles entières pour décorer
- 1 betterave rouge
- 1 poignée d'un mélange de feuilles de salade
- sel et poivre du moulin

1 Tartinez chaque tranche de pain de beurre.

2 Pelez, râpez, puis égouttez le concombre. Dans un bol, mélangez-le avec le yaourt et la menthe ciselée. Salez et poivrez généreusement.

3 Tranchez finement la betterave. Déposez les tranches de pain sur une assiette, répartissez dessus les feuilles de salade, puis la betterave. Finissez par le tzatziki et décorez avec les feuilles de menthe entières.

• Par portion : 433 Calories – Protéines : 13 g – Glucides : 60 g – Lipides : 18 g (dont 11 g de graisses saturées) – Fibres : 2 g – Sel : 1,63 g – Pas de sucres ajoutés.

Les muffins forment une excellente base pour les pizzas.
Vous pouvez remplacer la sauce tomate par du pesto.

Mini-pizzas à la courgette

Pour 1 personne
Préparation et cuisson : 15 min

- 1 petite courgette
- 1 muffin
- 2 cuill. à soupe de sauce tomate
  pour pizza prête à l'emploi
- 2 tomates séchées
- 40 g de feta
- 1 cuill. à café d'origan frais ciselé
- 2 cuill. à café d'huile d'olive
- sel et poivre du moulin

1 Préchauffez le gril du four à chaleur moyenne. À l'aide d'un couteau Économe, détaillez la courgette en fines lanières.

2 Coupez le muffin en deux. Nappez les demi-muffins de sauce tomate et passez 1 ou 2 minutes sous le gril pour les chauffer.

3 Tranchez finement les tomates séchées et détaillez la feta en cubes. Disposez les lanières de courgette sur les demi-muffins, puis répartissez les tomates séchées, la feta et parsemez d'origan. Salez et poivrez. Arrosez d'huile d'olive et faites griller 2 minutes.

- Par portion : 448 Calories – Protéines : 15 g – Glucides : 39 g – Lipides : 27 g (dont 9 g de graisses saturées) – Fibres : 3 g – Sel : 1,81 g – Sucres ajoutés : 1 g.

Le halloumi est un délicieux fromage chypriote
que l'on trouve aisément dans toutes les épiceries orientales.

Pita au halloumi

Pour 1 personne
Préparation et cuisson : 10 min

- 2 feuilles de laitue romaine
- 1 tomate olivette
- 1 fine rondelle d'oignon
- 1 branche de menthe
- 1 cuill. à café d'huile d'olive
- 3 tranches épaisses de halloumi
- 1 pain pita
- sel et poivre du moulin

1   Préchauffez le gril du four au maximum. Détaillez la laitue en morceaux, coupez la tomate en tranches et séparez la rondelle d'oignon en anneaux. Ciselez la menthe. Dans un saladier, versez tous ces ingrédients, remuez, ajoutez l'huile d'olive, salez et poivrez.

2   Posez les tranches de fromage sur une feuille de papier sulfurisé et passez-les 2 minutes sous le gril, jusqu'à ce qu'elles soient dorées, puis retournez-les et remettez-les 1 minute sous le gril.

3   Faites griller le pain pita quelques secondes sur chaque face. Quand il commence à gonfler, retirez le pain et coupez-le en deux. Glissez le fromage et la salade à l'intérieur, et servez aussitôt.

- Par portion : 375 Calories – Protéines : 16 g – Glucides : 46 g – Lipides : 15 g (dont 7 g de graisses saturées) – Fibres : 3 g – Sel : 1,45 g – Pas de sucres ajoutés.

Le pain chaud, les légumes grillés et la ricotta
forment une délicieuse combinaison.

Pain grillé aux légumes et à la ricotta

Pour 4 personnes
Préparation et cuisson : 20 min

- 8 tranches de pain de mie sans la croûte
- 1 gousse d'ail
- 50 g de beurre ramolli
- 1 poivron rouge
- 1 poivron jaune
- 225 g de chou frisé
- 225 g de tomates cerises
- 3 cuill. à soupe d'huile d'olive
- 1 cuill. à soupe de vinaigre de vin blanc
- 1 poignée de feuilles de basilic
- 250 g de ricotta
- sel et poivre du moulin

1 Préchauffez le four à 200 °C (therm. 6-7). Aplatissez les tranches de pain avec un rouleau à pâtisserie et posez-les sur une plaque à four. Épluchez et hachez l'ail, puis mélangez-le au beurre. Tartinez le pain de beurre à l'ail et faites dorer 10 minutes au four.

2 Épépinez et émincez les poivrons. Détaillez le chou et coupez les tomates cerises en deux. Dans une casserole, chauffez 2 cuillerées à soupe d'huile d'olive, ajoutez les poivrons et faites légèrement carboniser. Incorporez le chou et laissez cuire 2 ou 3 minutes. Enlevez du feu, ajoutez les tomates cerises et le vinaigre. Salez et poivrez. Ciselez presque tout le basilic. Mélangez ensemble la ricotta et le basilic ciselé.

3 Tartinez la moitié des tranches de pain de ricotta au basilic. Répartissez dessus les légumes et recouvrez d'une tranche de pain. Arrosez du reste d'huile et décorez avec les feuilles de basilic entières.

- Par portion : 385 Calories – Protéines : 10 g – Glucides : 21 g – Lipides : 30 g (dont 13 g de graisses saturées) – Fibres : 4 g – Sel : 0,7 g – Sucres ajoutés : 0,2 g.

*Si vous ne trouvez pas du brocoli pourpre,
remplacez-le par du brocoli vert.*

Toasts aux brocolis
et à l'œuf poché

Pour 4 personnes
Préparation et cuisson : 25 min

- 225 g de brocolis pourpres
- 1 pain ciabatta
- 1 gousse d'ail
- 2 cuill. à soupe d'huile d'olive
- 1 cuill. à soupe de moutarde
- 6 échalotes
- 4 gros œufs
- sel et poivre du moulin

1 Détaillez les brocolis en bouquets et faites-les blanchir 1 minute dans de l'eau bouillante. Égouttez et rafraîchissez sous l'eau froide. Séchez sur du papier absorbant. Chauffez une plaque en fonte ou une poêle.

2 Coupez le pain ciabatta en deux à l'horizontale, puis de nouveau chaque tranche en deux. Coupez l'ail en deux et frottez-en les tranches de pain, puis badigeonnez-les avec la moitié de l'huile d'olive. Faites dorer le pain 1 ou 2 minutes sur chaque face. Tartinez de moutarde et tenez au chaud. Pelez et coupez les échalotes en deux dans la longueur. Enrobez-les d'huile restante et faites-les cuire sur la plaque ou dans la poêle pendant 2 minutes sur chaque face. Réservez au chaud.

3 Faites cuire les brocolis pendant 3 ou 4 minutes sur la plaque ou dans la poêle en les retournant souvent. Pendant ce temps, faites pocher les œufs dans de l'eau à doux frémissement jusqu'à ce que le blanc soit pris. Garnissez le pain d'échalotes et de brocolis. Finissez par les œufs, salez et poivrez.

- Par portion : 380 Calories – Protéines : 17 g –
Glucides : 47 g – Lipides : 15 g (dont 3 g de graisses saturées) – Fibres : 4 g – Sel : 1,49 g – Pas de sucres ajoutés.

Une tarte salée originale et délicieuse... à l'italienne!

Tarte à la ricotta et aux olives

Pour 6 personnes

Préparation et cuisson : 40 min

- 2 blancs d'œufs
- 450 g de ricotta
- 50 g de parmesan finement râpé
- 4 tomates séchées
- 2 branches de romarin frais
- 190 g d'olives vertes marinées au citron et à la menthe
- 190 g d'olives noires dénoyautées
- sel et poivre du moulin

POUR SERVIR
- tomates cerises rôties

1   Préchauffez le four à 200 °C (therm. 6-7). Huilez et tapissez d'une feuille de papier sulfurisé un plat à tarte de 20 cm de diamètre. Battez légèrement les blancs d'œufs. Dans un saladier, réunissez la ricotta, le parmesan et les blancs d'œufs, puis battez à l'aide d'un fouet. Salez et poivrez.

2   Versez le mélange dans le plat à tarte et égalisez la surface avec une cuillère humide. Hachez grossièrement les tomates séchées et effeuillez le romarin. Enfoncez les olives, les tomates séchées et le romarin dans la garniture. Faites cuire de 25 à 30 minutes au four, jusqu'à ce que la tarte soit ferme.

3   Démoulez et enlevez la feuille de papier sulfurisé. Servez découpé en parts avec des tomates cerises rôties.

• Par portion : 227 Calories – Protéines : 12 g – Glucides : 3 g – Lipides : 19 g (dont 8 g de graisses saturées) – Fibres : 2 g – Sel : 4,07 g – Pas de sucres ajoutés.

Servez ce mélange de légumes, onctueux et parfumé,
pour un repas du soir léger.

Légumes crémeux à la menthe

Pour 4 personnes
Préparation et cuisson : 35 min

- 25 g de beurre
- 1 cuill. à soupe d'huile d'olive
- 225 g d'oignons grelots
- 2 poireaux
- 20 cl de vin blanc sec
- 350 g de petits pois surgelés
- 3 petites sucrines
- 20 cl de crème fraîche
- 2 cuill. à soupe de menthe ciselée
- 2 cuill. à soupe de persil plat ciselé
- sel et poivre du moulin

POUR SERVIR
- boulgour ou couscous

1   Dans une poêle, chauffez le beurre et l'huile d'olive jusqu'à ce que le mélange mousse. Pelez les oignons. Ajoutez-les et laissez fondre 8 minutes à feu doux. Coupez les poireaux en deux, puis recoupez-les en tronçons de 5 cm de long. Versez le vin dans la poêle, ajoutez les poireaux et portez à ébullition. Laissez frémir 5 minutes, jusqu'à ce que les poireaux soient tendres.

2   Ajoutez les petits pois, laissez frémir 5 minutes. Détaillez les sucrines en morceaux, puis incorporez-les et laissez encore frémir 3 minutes.

3   Incorporez la crème fraîche et les herbes, salez, poivrez et laissez doucement mijoter 2 ou 3 minutes. Servez bien chaud, accompagné de boulgour ou de couscous.

- Par portion : 321 Calories – Protéines : 9 g – Glucides : 18 g – Lipides : 20 g (dont 10 g de graisses saturées) – Fibres : 8 g – Sel : 0,23 g – Pas de sucres ajoutés.

Veillez à cuire rapidement les légumes pour leur conserver toute leur fraîcheur et leur croquant.

Salade de légumes tiède aux amandes

Pour 4 personnes
Préparation et cuisson : 15 min

- 3 cuill. à soupe d'huile d'olive
- 85 g d'amandes blanchies
- 1 bouquet de cives
- 1 petit concombre
- 3 branches de céleri
- 225 g de petites tomates
- 2 petites sucrines
- 1/2 citron
- 25 g de cresson
- 25 g de feuilles de coriandre
- 1/2 cuill. à café de sucre en poudre
- sel et poivre du moulin

1 Dans une poêle, chauffez 2 cuillerées à soupe d'huile d'olive et faites dorer les amandes pendant 2 ou 3 minutes. Égouttez sur du papier absorbant et hachez grossièrement.

2 Épluchez et émincez les cives. Pelez, épépinez et détaillez le concombre. Coupez le céleri en bâtonnets et les tomates en quartiers. Ajoutez le reste d'huile dans la poêle, chauffez et faites revenir tous ces légumes pendant 2 minutes. Détaillez les sucrines en morceaux. Pressez le jus du citron. Enlevez du feu, ajoutez les ingrédients restants et remuez la poêle pour bien mélanger. Salez et poivrez.

3 Répartissez la salade sur les assiettes et parsemez d'amandes hachées. Arrosez du jus de cuisson et servez.

- Par portion : 247 Calories – Protéines : 6 g – Glucides : 6 g – Lipides : 22 g (dont 2 g de graisses saturées) – Fibres : 3 g – Sel : 0,09 g – Sucres ajoutés : 1 g.

Les blinis font d'excellents canapés :
essayez aussi avec du fromage blanc, des tomates cerises
et de la roquette.

Blinis aux légumes et à la crème

Pour 4 personnes
Préparation et cuisson : 20 min

- 225 g de pointes d'asperge
- 140 g de brocolis
- 100 g de pois gourmands
- 1 poignée de feuilles de basilic
- 25 cl de crème fraîche
- 1 ½ cuill. à soupe de pesto
- 8 blinis d'environ 10 cm de diamètre
- 140 g de tomates confites
- sel et poivre du moulin

1 Préchauffez le four à 180 °C (therm. 6). Pelez les asperges et détaillez les brocolis en bouquets. Dans une grande quantité d'eau bouillante salée, faites cuire les asperges, les brocolis et les pois gourmands pendant 2 minutes, en veillant à ce qu'ils restent croquants. Égouttez et réservez. Ciselez presque tout le basilic. Mélangez la crème fraîche, le pesto et le basilic ciselé. Salez et poivrez.

2 Déposez 4 blinis sur une plaque à four. Égouttez les tomates séchées et répartissez-les avec tous les autres légumes dessus. Nappez de crème au pesto. Coupez les blinis restants en deux et posez-les sur les légumes. Enfournez et laissez cuire 8 minutes, jusqu'à ce qu'ils soient bien chauds. Parsemez des feuilles de basilic restantes.

- Par portion : 372 Calories – Protéines : 10 g – Glucides : 20 g – Lipides : 28 g (dont 13 g de graisses saturées) – Fibres : 4 g – Sel : 0,43 g – Pas de sucres ajoutés.

Choisissez un mélange de légumes frais ou surgelés,
tels que poivrons, courgettes, maïs ou aubergines.

Soupe à la noix de coco façon thaïe

Pour 3 personnes
Préparation et cuisson : 30 min

- 25 g de gingembre frais
- 2 gousses d'ail
- 2 branches de citronnelle
- 3 ou 4 piments oiseau
- 1 cuill. à soupe d'huile végétale
- 4 feuilles de kaffir ou de citron vert
- 40 cl de lait de coco
- 20 cl de crème de coco
- 500 g d'un mélange de légumes en morceaux
- feuilles de basilic et de coriandre pour décorer

1   Pelez le gingembre et l'ail, puis émincez-les. Écrasez les branches de citronnelle et les piments oiseau. Dans un wok ou une sauteuse, chauffez l'huile végétale et faites revenir tous ces ingrédients pendant 30 secondes.

2   Écrasez les feuilles de kaffir ou de citron vert. Ajoutez-les et versez le lait et la crème de coco. Portez à ébullition, couvrez et laissez doucement frémir 15 minutes en remuant de temps en temps.

3   Ajoutez les légumes et portez de nouveau à ébullition. Laissez frémir 2 ou 3 minutes en remuant souvent, jusqu'à ce que les légumes soient cuits mais toujours croquants. Versez dans les bols et servez parsemé de basilic et de coriandre.

- Par portion : 317 Calories – Protéines : 11 g – Glucides : 20 g – Lipides : 8 g (dont 7 g de graisses saturées) – Fibres : 18 g – Sel : 0,18 g – Sucres ajoutés : 1 g.

Ce plat délicatement parfumé au curry est à la fois simple, léger et rapide.
Vous trouverez les chapatis dans les épiceries indiennes.

Chapatis et légumes au curry

Pour 4 personnes
Préparation et cuisson : 25 min

- 300 g de patates douces
- 400 g de pois chiches en conserve
- 400 g de tomates pelées en conserve
- 1/2 cuill. à café de piment en poudre
- 2 cuill. à soupe de pâte de curry douce
- 100 g de pousses d'épinard
- 2 cuill. à soupe de coriandre ciselée
- 4 chapatis nature
- 4 cuill. à soupe de yaourt à la grecque
- sel et poivre du moulin

1   Pelez et coupez grossièrement les patates douces en cubes. Faites-les cuire de 10 à 12 minutes dans de l'eau bouillante salée, jusqu'à ce qu'elles soient tendres. Pendant ce temps, égouttez les pois chiches. Réunissez-les dans une casserole avec les tomates, le piment et la pâte de curry, puis laissez doucement frémir 5 minutes sans cesser de remuer.

2   Préchauffez le gril. Égouttez les patates douces et ajoutez-les aux pois chiches et aux tomates. Incorporez les épinards et laissez fondre 1 minute. Ajoutez la coriandre, salez, poivrez et tenez au chaud.

3   Aspergez les chapatis avec un peu d'eau et passez-les de 20 à 30 secondes sous le gril, sur chaque face. Nappez de légumes, puis de yaourt. Pliez en deux et servez aussitôt.

- Par portion : 289 Calories – Protéines : 12 g – Glucides : 54 g – Lipides : 5 g (pas de graisses saturées) – Fibres : 5 g – Sel : 1,08 g – Pas de sucres ajoutés.

Servez l'œuf sur le plat avec une galette de pommes de terre :
cela vous changera du classique toast grillé.

Rösti, œuf au plat et oignons frits

Pour 1 personne
Préparation et cuisson : 15 min

- 1/2 oignon blanc ou rouge
- 4 cuill. à café d'huile d'olive
- 50 g de pommes de terre
- 1 cuill. à café de moutarde en grains
- 1 œuf moyen
- 2 tomates
- 1 filet de vinaigre balsamique
- sel et poivre du moulin

1   Pelez et émincez finement l'oignon. Dans une poêle, chauffez la moitié de l'huile d'olive et faites frire la moitié de l'oignon jusqu'à ce qu'il soit bien grillé. Égouttez-le sur du papier absorbant et réservez. Râpez grossièrement les pommes de terre. Mélangez-les avec l'oignon restant et la moutarde. Salez et poivrez.

2   Versez le restant d'huile dans la poêle, ajoutez la préparation à la pomme de terre et écrasez-la pour former une galette de 12 cm de diamètre. Faites dorer de 8 à 10 minutes, en retournant plusieurs fois. À mi-cuisson, cassez l'œuf à côté et faites-le cuire au plat.

3   Détaillez les tomates en tranches. Disposez les tranches sur une assiette et arrosez de vinaigre balsamique. Posez la galette de pommes de terre sur les tomates, puis l'œuf et finissez par les oignons grillés.

- Par portion : 335 Calories – Protéines : 9 g – Glucides : 16 g – Lipides : 27 g (dont 4 g de graisses saturées) – Fibres : 3 g – Sel : 0,53 g – Pas de sucres ajoutés.

Vous pouvez réaliser la tapenade vous-même en réduisant en purée au mixeur un mélange d'olives noires, de câpres, d'ail et d'huile d'olive.

Omelette soufflée à l'avocat

Pour 2 personnes
Préparation et cuisson : 10 min

- 3 œufs moyens
- 1 cuill. à soupe de lait
- 2 cuill. à soupe de persil plat ciselé
- 2 cuill. à café d'huile d'olive
- 1 petit avocat
- 1/2 citron
- 2 cuill. à soupe de tapenade prête à l'emploi
- sel et poivre du moulin

1   Séparez les blancs des jaunes d'œufs. Dans un saladier, battez les blancs en neige ferme. Dans un second saladier, réunissez les jaunes, le lait et le persil plat. Salez et poivrez, puis battez en omelette. Ajoutez un quart des blancs et mélangez délicatement. Ajoutez le reste en soulevant la masse avec une cuillère en bois.

2   Préchauffez le gril du four au maximum. Dans une poêle, chauffez l'huile d'olive. Versez l'omelette et faites légèrement prendre 2 ou 3 minutes. Passez 1 ou 2 minutes sous le gril pour en cuire la surface. Pendant ce temps, coupez l'avocat en deux, retirez le noyau et la peau, puis coupez-le en tranches. Pressez le jus du citron.

3   Nappez une moitié d'omelette de tapenade. Ajoutez les tranches d'avocat et arrosez de jus de citron. Rabattez la seconde moitié sur la première et faites glisser sur le plat.

- Par portion : 417 Calories – Protéines : 21 g – Glucides : 21 g – Lipides : 15 g (dont 12 g de graisses saturées) – Fibres : 4 g – Sel : 2,39 g – Pas de sucres ajoutés.

Vous pouvez aussi remplacer les poivrons et les courgettes
par des aubergines et des cœurs d'artichaut.

Flan de légumes au pesto

Pour 4 personnes

Préparation et cuisson : 40 min

- 1 poivron jaune
- 1 poivron orange
- 2 courgettes
- 2 gros oignons
- 1 cuill. à soupe d'huile végétale
- 4 œufs moyens
- 10 cl de lait
- 2 cuill. à soupe de pesto
- sel et poivre du moulin

POUR SERVIR
- salade verte

1 Préchauffez le four à 200 °C (therm. 6-7). Épépinez et coupez les poivrons en quartiers. Coupez les courgettes en rondelles. Pelez et émincez les oignons. Chauffez l'huile végétale dans un wok ou une sauteuse et faites revenir tous ces ingrédients à feu vif pendant 2 ou 3 minutes.

2 Répartissez les légumes au fond d'un plat à gratin. Dans un bol, battez les œufs, puis ajoutez le lait et le pesto. Mélangez, salez et poivrez.

3 Versez le mélange sur les légumes et faites cuire 25 minutes au four, jusqu'à ce que le flan soit ferme au toucher en son centre. Servez chaud avec une salade verte.

• Par portion : 211 Calories – Protéines : 9 g – Glucides : 10 g – Lipides : 15 g (dont 3 g de graisses saturées) – Fibres : 2 g – Sel : 0,36 g – Pas de sucres ajoutés.

Tarte aux deux tomates et à la ciboulette

Pour 6 personnes
Préparation et cuisson : 35 min

- 340 g de pâte brisée prête à l'emploi
- 20 cl de crème fraîche
- 2 œufs
- 2 cuill. à soupe de pesto vert ou rouge
- 6 tomates mûres
- 225 g de tomates cerises
- brins de ciboulette
- sel et poivre du moulin

1 Préchauffez le four à 220 °C (therm. 7-8). Étalez la pâte et tapissez-en une plaque à bords droits d'environ 23 cm x 33 cm.

2 Mélangez la crème fraîche, les œufs et le pesto. Salez et poivrez. Versez le mélange sur la pâte. Coupez les grosses tomates en tranches et les tomates cerises en deux. Répartissez-les à la surface. Salez, poivrez et faites cuire 20 minutes au four.

3 Ciselez la ciboulette et parsemez-en généreusement la tarte. Servez chaud ou froid, découpé en carrés.

- Par portion : 426 Calories – Protéines : 7 g – Glucides : 31 g – Lipides : 31 g (dont 13 g de graisses saturées) – Fibres : 2 g – Sel : 0,58 g – Pas de sucres ajoutés.

Impossible de faire plus simple que cette tarte au brie :
il suffit de disposer la garniture sur une pâte prête à l'emploi!

Tarte au brie, à la courgette et à la tomate

Pour 4 personnes

Préparation et cuisson : 45 min

- 1 pâte feuilletée prête à l'emploi
- 225 g de courgettes
- 2 cuill. à soupe d'huile d'olive
- 1/2 cuill. à café d'origan séché
- 225 g de brie
- 4 ou 5 tomates mûres
- sel et poivre du moulin

1   Préchauffez le four à 200 °C (therm. 6-7). Étalez la pâte en un rectangle de 23 cm x 33 cm, déposez-la sur une feuille de papier sulfurisé humide et entaillez-la à l'aide d'un couteau à 2,5 cm des bords. À l'intérieur de la zone délimitée par les entailles, piquez la pâte avec une fourchette.

2   Coupez les courgettes en rondelles. Dans une poêle, faites chauffer l'huile d'olive et faites-les revenir jusqu'à ce qu'elles soient tendres. Saupoudrez d'origan, salez et poivrez. Faites cuire 1 ou 2 minutes, puis laissez refroidir.

3   Coupez le brie et les tomates en tranches. En partant d'un des petits côtés de la pâte, disposez la garniture à l'intérieur de la zone délimitée par les entailles. Commencez par une rangée de brie, puis de courgettes et de tomates se chevauchant les unes les autres, jusqu'à épuisement des ingrédients. Versez le jus de la poêle, salez et poivrez. Passez au four de 25 à 30 minutes, jusqu'à ce que la pâte soit bien dorée et les courgettes cuites. Servez tiède.

- Par portion : 419 Calories – Protéines : 15 g – Glucides : 27 g – Lipides : 29 g (dont 9 g de graisses saturées) – Fibres : 2 g – Sel : 1,41 g – Pas de sucres ajoutés.

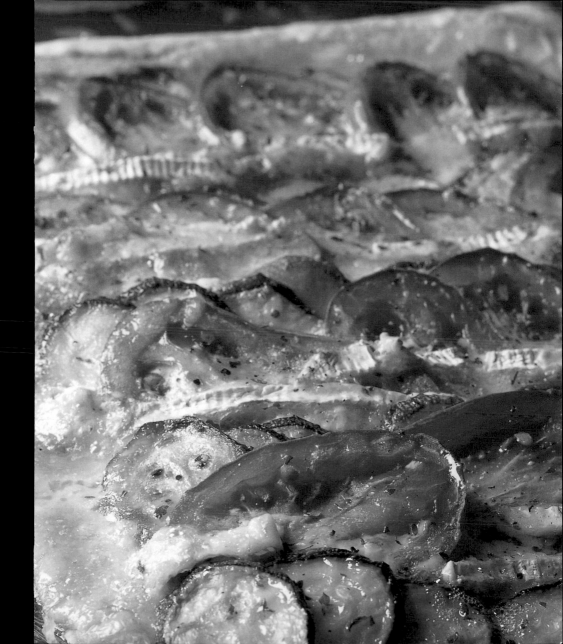

Pendant la cuisson, les champignons deviennent moelleux
tout en restant fermes... Un délice !

Bruschettas aux champignons de Paris

Pour 2 personnes

Préparation et cuisson : 40 min

- 1 gousse d'ail
- 50 g de beurre ramolli
- 4 tranches épaisses de pain de campagne, blanc ou complet
- 4 grosses têtes de champignons de Paris
- 1 filet d'huile d'olive
- 200 g de poivrons rouges grillés à l'huile
- 140 g de bûchette de chèvre
- sel et poivre du moulin

1   Préchauffez le four à 190 °C (therm. 6-7). Épluchez et hachez l'ail, puis mélangez-le au beurre. Tartinez les tranches de pain sur les deux faces avec le beurre à l'ail, puis disposez-les sur une plaque à four.

2   Posez un champignon sur chaque tartine et arrosez-les d'huile d'olive. Salez et poivrez. Égouttez les poivrons, coupez-les en lanières et répartissez-les sur les champignons.

3   Retirez les extrémités du fromage de chèvre, puis coupez-le en quatre tranches et déposez-en une sur chaque tartine garnie. Passez au four de 25 à 30 minutes, jusqu'à ce que les champignons soient cuits et le fromage gratiné.

• Par portion : 679 Calories – Protéines : 27 g – Glucides : 45 g – Lipides : 45 g (dont 27 g de graisses saturées) – Fibres : 5 g – Sel : 2,9 g – Pas de sucres ajoutés.

Un petit plat parfait pour un déjeuner sur le pouce
ou un dîner improvisé entre amis.

Petits pains fourrés
au fromage de chèvre

Pour 4 personnes
Préparation et cuisson : 30 min

- 4 petits pains ronds
- 2 cuill. à soupe d'huile d'olive
- 4 cuill. à soupe de chutney
de tomates vertes
- 4 fromages de chèvre (type crottin
de Chavignol) sans la croûte
- 4 branches de thym frais
- sel et poivre du moulin

POUR SERVIR
- salade verte

1   Préchauffez le four à 190 °C (therm. 6-7).
Creusez profondément chaque petit pain et retirez
la mie. Badigeonnez l'intérieur d'huile d'olive. Salez
et poivrez. Placez les petits pains sur une plaque
à four recouverte d'une feuille de papier sulfurisé.
Enfournez et faites cuire 5 minutes, jusqu'à ce qu'ils
soient croustillants.

2   Déposez 1 cuillerée à soupe de chutney à
l'intérieur de chaque petit pain, ainsi que 1 fromage
de chèvre et 1 branche de thym. Poivrez.

3   Enveloppez chaque petit pain d'une feuille
d'aluminium, sans couvrir le fromage. Enfournez
et faites cuire de 15 à 20 minutes, jusqu'à ce que
le fromage soit doré. Retirez la feuille d'aluminium
5 minutes avant la fin de la cuisson. Servez chaud
avec de la salade verte.

- Par portion : 399 Calories – Protéines : 15 g –
Glucides : 45 g – Lipides : 19 g (dont 7 g de graisses
saturées) – Fibres : 1 g – Sel : 1,68 g – Sucres ajoutés : 3 g.

Attention, les champignons réduisent à la cuisson.
Choisissez-les donc de bonne taille.

Champignons farcis aux herbes

Pour 4 personnes

Préparation et cuisson : 30 min

- 4 gros champignons de Paris
- 2 cuill. à soupe d'huile d'olive
- sel et poivre du moulin

POUR LA FARCE
- 100 g de pistaches grillées
- 85 g d'olives noires dénoyautées
- 1/2 citron
- 140 g de feta
- 3 branches de thym frais
- 4 cuill. à soupe de persil plat ciselé
- 100 g de chapelure

POUR SERVIR
- pain grillé

1 Préchauffez le four à 200 °C (therm. 6-7). Retirez les pieds des champignons et hachez-les grossièrement. Badigeonnez légèrement les têtes d'huile d'olive et disposez-les sur une plaque à four. Salez et poivrez. Faites cuire au four pendant 10 minutes pour qu'elles soient juste tendres.

2 Pendant ce temps, préparez la farce. Hachez les pistaches et les olives. Prélevez finement le zeste du citron à l'aide d'un zesteur ou d'un couteau Économe et pressez le jus. Coupez la feta en petits dés. Mélangez tous les ingrédients avec les pieds de champignon hachés et le restant d'huile d'olive. Salez et poivrez.

3 Répartissez la farce sur les champignons et faites encore cuire de 5 à 8 minutes, jusqu'à ce que la feta commence à fondre. Servez aussitôt sur des tranches de pain grillé.

- Par portion : 433 Calories – Protéines : 15 g – Glucides : 24 g – Lipides : 31 g (dont 8 g de graisses saturées) – Fibres : 2 g – Sel : 2,96 g – Pas de sucres ajoutés.

À défaut de polenta, utilisez de la semoule de maïs
précuite pour réaliser cette recette.

Polenta façon pizza

Pour 4 personnes
Préparation et cuisson : 55 min

- 500 g de polenta prête à l'emploi
- 50 g de cheddar
- 25 g de parmesan finement râpé
- 1/2 cuill. à café d'origan séché
- 4 cuill. à soupe d'huile d'olive
- 4 grosses têtes de champignons de Paris
- 400 g de tomates mûres
- 1 gousse d'ail
- sel et poivre du moulin

1 Préchauffez le four à 220 °C (therm. 7-8). Coupez la polenta en douze tranches de 1 cm d'épaisseur. Sur une plaque à four, disposez-les en quatre tas de trois tranches se chevauchant. Râpez le cheddar. Saupoudrez de la plus grande partie des fromages et de l'origan. Versez l'huile d'olive dans un bol, salez, poivrez et badigeonnez-en les champignons. Posez-les, partie creuse vers le haut, sur les tas de polenta.

2 Hachez grossièrement les tomates. Épluchez et hachez finement l'ail. Versez ces ingrédients dans le bol et enrobez-les d'huile. Farcissez-en les champignons et répartissez le reste autour de la polenta. Salez et poivrez.

3 Saupoudrez du reste des fromages. Faites cuire 30 minutes au four, jusqu'à ce que les tomates soient moelleuses et les champignons tendres.

- Par portion : 422 Calories – Protéines : 14 g – Glucides : 50 g – Lipides : 20 g (dont 6 g de graisses saturées) – Fibres : 3 g – Sel : 0,42 g – Pas de sucres ajoutés.

Le halloumi est un fromage chypriote que vous trouverez dans les épiceries orientales.

Légumes sautés au halloumi

Pour 4 personnes

Préparation et cuisson : 30 min

- 250 g de halloumi
- 3 cuill. à soupe d'huile d'olive
- 2 oignons moyens
- 3 courgettes
- 8 tomates
- 420 g de haricots de Lima en conserve
- sel et poivre du moulin

1   Détaillez le fromage en tranches. Dans une poêle, chauffez 2 cuillerées à soupe d'huile d'olive et faites dorer les tranches sur les deux faces. Retirez de la poêle, coupez-les en quatre et réservez. Pelez et coupez grossièrement les oignons en quartiers. Ajoutez-les dans la poêle et faites blondir 5 minutes.

2   Coupez les courgettes en rondelles. Ajoutez-les et faites-les dorer. Retirez les courgettes et les oignons. Réservez. Coupez les tomates en deux. Ajoutez le restant d'huile et faites-les fondre jusqu'à ce qu'elles rendent leur jus.

3   Égouttez les haricots. Remettez le fromage, les courgettes et les oignons dans la poêle, puis ajoutez les haricots. Chauffez à feu doux en remuant. Salez, poivrez et servez aussitôt.

- Par portion : 285 Calories – Protéines : 20 g – Glucides : 29 g – Lipides : 22 g (dont 9 g de graisses saturées) – Fibres : 8 g – Sel : 2,35 g – Pas de sucres ajoutés.

Le dolcelatte est un fromage bleu italien.

Vous trouverez la confiture de piment dans les épiceries fines.

Polenta aux tomates et au dolcelatte

Pour 4 personnes

Préparation et cuisson : 45 min

- 500 g de polenta prête à l'emploi
- 2 cuill. à soupe d'huile d'olive
- 3 tomates olivettes
- 140 g de dolcelatte
ou de bleu d'Auvergne
- 6 cuill. à soupe de confiture de piment
- sel et poivre du moulin

POUR SERVIR
- haricots verts

1 Préchauffez le gril au maximum. Coupez la polenta en tranches épaisses. Posez les tranches sur la plaque du gril, badigeonnez d'huile d'olive, salez et poivrez. Faites griller de 10 à 15 minutes, jusqu'à les faire légèrement carboniser. Retournez-les, badigeonnez d'huile et faites encore griller 10 minutes.

2 Coupez les tomates en quartiers. Disposez la polenta et les tomates dans un plat à gratin et arrosez du restant d'huile d'olive. Faites griller de 5 à 10 minutes pour faire fondre les tomates. Détaillez le fromage en cubes, parsemez-en le plat et laissez fondre 2 ou 3 minutes.

3 Pendant ce temps, versez la confiture de piment dans une casserole et chauffez doucement 1 ou 2 minutes. Disposez la polenta, les tomates et le fromage sur les assiettes avec quelques cuillerées de confiture de piment. Servez avec des haricots verts.

• Par portion : 523 Calories – Protéines : 16 g – Glucides : 59 g – Lipides : 27 g (dont 10 g de graisses saturées) – Fibres : 2 g – Sel : 3,55 g – Pas de sucres ajoutés.

Ce couscous aux légumes sautés est facile à réaliser et vite prêt.

Couscous au halloumi et aux herbes

Pour 2 personnes
Préparation et cuisson : 15 min

- 150 g de couscous
- 290 g de poivrons rouges et jaunes en conserve
- 1 gousse d'ail
- 140 g d'un mélange de champignons (champignons de Paris, pleurotes…)
- 2 cuill. à soupe d'huile d'olive
- 140 g de halloumi
- 15 g d'herbes aromatiques fraîches (origan, basilic, persil plat)
- sel et poivre du moulin

1 Dans un saladier, versez 30 cl d'eau bouillante sur le couscous. Couvrez hermétiquement de film alimentaire et laissez reposer 5 minutes. Pendant ce temps, versez les poivrons dans une casserole et chauffez 3 ou 4 minutes à feu doux.

2 Épluchez et écrasez l'ail. Émincez les champignons. Dans une poêle, chauffez la moitié de l'huile d'olive et faites fondre l'ail pendant 1 minute. Ajoutez les champignons et faites blondir 3 ou 4 minutes. Réservez. Coupez le fromage en cubes. Versez le restant d'huile dans la poêle et faites frire le fromage pendant 2 minutes.

3 Ciselez finement presque toutes les herbes. Mélangez-les au couscous en séparant les graines avec une fourchette. Salez et poivrez. Répartissez sur les assiettes, garnissez de fromage frit et de champignons. Parsemez des feuilles aromatiques restantes et servez aussitôt.

- Par portion : 695 Calories – Protéines : 29 g – Glucides : 48 g – Lipides : 44 g (dont 17 g de graisses saturées) – Fibres : 4 g – Sel : 0,94 g – Pas de sucres ajoutés.

Un repas complet… à préparer au four à micro-ondes!

Pain perdu gratiné

Pour 4 personnes
Préparation et cuisson : 25 min

- 6 tranches de pain de mie légèrement rassis
- 25 g de beurre ramolli
- 4 œufs moyens
- 10 cl de lait
- 50 g de parmesan finement râpé
- 1 cuill. à soupe de moutarde
- 25 g de cheddar

POUR SERVIR
- salade de tomates et d'oignons grelots

1   Tartinez les tranches de pain de beurre et coupez-les en triangles. Disposez-les dans un plat à micro-ondes.

2   Préchauffez le gril au maximum. Dans un bol, fouettez les œufs, puis mélangez-les avec le lait, le parmesan, la moutarde et versez sur le pain. Laissez reposer 5 minutes. Faites cuire au four à micro-ondes réglé au maximum pendant 5 minutes.

3   Râpez le cheddar. Parsemez-en le pain perdu et faites dorer 2 ou 3 minutes sous le gril. Servez bien chaud avec une salade de tomates et d'oignons grelots.

• Par portion : 312 Calories – Protéines : 17 g – Glucides : 20 g – Lipides : 19 g (dont 9 g de graisses saturées) – Fibres : 1 g – Sel : 1,56 g – Pas de sucres ajoutés.

Le stilton est un fromage bleu anglais.
À défaut, remplacez-le par du bleu d'Auvergne.

Tarte au stilton, oignons et noix

Pour 6 personnes
Préparation et cuisson : 45 min

- 600 g d'oignons
- 3 cuill. à soupe d'huile d'olive
- 1 cuill. à soupe de vinaigre balsamique
- 375 g de pâte feuilletée prête à l'emploi
- 175 g de stilton ou de bleu d'Auvergne
- 50 g de noix concassées
- sel et poivre du moulin

1 Préchauffez le four à 200 °C (therm. 6-7). Pelez les oignons et émincez-les finement. Dans une poêle, chauffez l'huile d'olive et faites-les fondre 10 minutes, en les remuant de temps en temps.

2 Arrosez de vinaigre balsamique, salez et poivrez. Laissez cuire 5 minutes, jusqu'à ce que les oignons soient légèrement caramélisés. Laissez refroidir. Étalez la pâte et tapissez-en une plaque à bords droits d'environ 23 cm x 33 cm.

3 Répartissez les oignons sur la pâte, émiettez le stilton dessus et parsemez de noix. Faites cuire de 15 à 20 minutes au four, jusqu'à ce que la pâte soit dorée et le fromage fondu. Laissez reposer 5 minutes, puis servez découpé en carrés.

- Par portion : 446 Calories – Protéines : 13 g – Glucides : 31 g – Lipides : 31 g (dont 7 g de graisses saturées) – Fibres : 2 g – Sel : 1,19 g – Pas de sucres ajoutés.

Ce plat complet, délicieusement parfumé au pesto,
est inspiré d'un classique de la cuisine italienne. Laissez-vous tenter!

Spaghettis alla genovese

Pour 4 personnes
Préparation et cuisson : 20 min

- 300 g de pommes de terre nouvelles
- 300 g de spaghettis
- 225 g de haricots verts
- 120 g de pesto
- huile d'olive pour servir
- sel et poivre du moulin

1 Coupez les pommes de terre en tranches sans les éplucher. Dans une casserole, portez à ébullition de l'eau salée. Ajoutez les pommes de terre et les spaghettis. Laissez cuire 10 minutes : les pommes de terre et les pâtes doivent rester légèrement fermes.

2 Équeutez et coupez les haricots en deux. Ajoutez-les dans la casserole et laissez encore cuire 5 minutes.

3 Égouttez bien en réservant 4 cuillerées à soupe du liquide de cuisson. Remettez les pâtes et les légumes dans la casserole. Incorporez le pesto et le liquide de cuisson. Salez et poivrez. Répartissez sur les assiettes, arrosez d'huile d'olive et servez chaud.

- Par portion : 330 Calories – Protéines : 23 g – Glucides : 8 g – Lipides : 23 g (dont 9 g de graisses saturées) – Traces de fibres – Sel : 0,5 g – Sucres ajoutés : 7 g.

La sauce à la crème et au vin blanc ajoute
une note riche et onctueuse.

Pâtes aux flageolets

Pour 4 personnes

Préparation et cuisson : 40 min

- 2 petits oignons rouges
- 2 cuill. à soupe d'huile d'olive
- 4 gousses d'ail
- 400 g de flageolets en conserve
- 1 cuill. à soupe de romarin frais ciselé
- 15 cl de bouillon de légumes
- 15 cl de vin blanc
- 4 cuill. à soupe de crème fraîche épaisse
- 100 g de haricots verts
- 350 g de pappardelle
- sel et poivre du moulin

1   Pelez et émincez les oignons. Dans une poêle, chauffez l'huile d'olive et faites-les fondre. Épluchez et hachez grossièrement l'ail. Égouttez et rincez les flageolets. Ajoutez l'ail dans la poêle, puis les flageolets et le romarin. Versez le bouillon de légumes, le vin et laissez frémir 10 minutes.

2   Salez, poivrez, ajoutez la crème fraîche et laissez encore frémir 5 minutes. Pendant ce temps, portez une casserole d'eau légèrement salée à ébullition. Ajoutez les haricots verts et laissez cuire 5 minutes, jusqu'à ce qu'ils soient tendres. Enlevez avec une écumoire et réservez au chaud.

3   Faites cuire les pâtes dans une grande quantité d'eau bouillante salée. Égouttez et mélangez les pâtes aux flageolets en sauce. Répartissez dans les bols, garnissez avec les haricots verts et servez chaud.

- Par portion : 582 Calories – Protéines : 21 g – Glucides : 85 g – Lipides : 18 g (dont 6 g de graisses saturées) – Fibres : 9 g – Sel : 0,95 g – Pas de sucres ajoutés.

Spaghettis aux asperges

Pour 4 personnes

Préparation et cuisson : 25 min

- 350 g de spaghettis tricolores
- 225 g de petites carottes
- 8 asperges vertes
- 1 grosse courgette
- 2 jaunes d'œufs
- 20 cl de crème fraîche épaisse
- 50 g de parmesan finement râpé
- 50 g de tomates séchées
- sel et poivre du moulin

1   Faites cuire les pâtes dans une grande quantité d'eau bouillante salée. Coupez les carottes en deux dans la longueur. Détaillez les asperges en tronçons et la courgette en lanières avec un couteau Économe. Environ 4 minutes avant la fin de la cuisson, ajoutez les carottes. Au bout de 2 minutes de cuisson, incorporez les asperges, et juste avant d'égoutter les pâtes, la courgette.

2   Égouttez et remettez les pâtes et les légumes dans la casserole à feu doux. Dans un bol, battez les jaunes d'œufs, la crème fraîche et la moitié du parmesan. Salez et poivrez.

3   Versez la sauce sur les pâtes et chauffez 2 ou 3 minutes à feu très doux en remuant sans cesse, jusqu'à obtenir une sauce onctueuse. Veillez à ne pas trop chauffer pour éviter que l'œuf ne coagule. Égouttez et émincez les tomates séchées. Incorporez-les, poivrez généreusement et servez avec le reste de parmesan.

- Par portion : 651 Calories – Protéines : 20 g – Glucides : 71 g – Lipides : 34 g (dont 19 g de graisses saturées) – Fibres : 5 g – Sel : 0,51 g – Pas de sucres ajoutés.

L'association du piment, du citron et des raisins secs relève ce simple plat de pâtes.

Pâtes pimentées au chou-fleur

Pour 4 personnes
Préparation et cuisson : 20 min

- 1 chou-fleur
- 350 g de trompetti ou autres grosses pâtes en forme de tube
- 4 cuill. à soupe d'huile d'olive
- 2 gousses d'ail
- 1 piment rouge
- 85 g de pignons de pin
- 1 citron
- 50 g de raisins secs
- 4 cuill. à soupe de persil plat ciselé
- 50 g de parmesan finement râpé
- sel et poivre du moulin

1   Détaillez le chou-fleur en petits bouquets. Faites-le cuire 2 minutes dans de l'eau bouillante salée. Égouttez et rafraîchissez sous l'eau froide pour arrêter la cuisson. Égouttez de nouveau. Faites cuire les pâtes dans une grande quantité d'eau bouillante salée.

2   Pendant ce temps, chauffez l'huile d'olive dans une poêle et faites revenir le chou-fleur pendant 3 minutes. Épluchez l'ail et épépinez le piment, puis émincez-les. Baissez le feu, ajoutez ces ingrédients et les pignons. Laissez encore cuire 2 minutes.

3   Prélevez finement le zeste du citron à l'aide d'un zesteur ou d'un couteau Économe. Coupez le citron en deux et pressez 1/2 citron. Égouttez les pâtes. Dans la poêle, ajoutez les pâtes, les raisins secs, le zeste et le jus de citron ainsi que le persil plat. Salez, poivrez et parsemez de parmesan.

- Par portion : 691 Calories – Protéines : 22 g – Glucides : 78 g – Lipides : 35 g (dont 6 g de graisses saturées) – Fibres : 5 g – Sel : 0,42 g – Pas de sucres ajoutés.

Le taleggio est un fromage italien crémeux. Le camembert ou le brie sont tout aussi bons à faire fondre sur les pâtes.

Pâtes au taleggio

Pour 4 personnes
Préparation et cuisson : 45 min

- 1 oignon
- 2 cuill. à soupe d'huile d'olive
- 1 poivron rouge
- 1 poivron jaune
- 1 poivron vert
- 2 gousses d'ail
- 30 cl de purée de tomate
- 350 g de rigatoni
- 1 pincée de sucre en poudre
- 1 poignée de feuilles de basilic
- 250 g de taleggio, de camembert ou de brie
- sel et poivre du moulin

1 Pelez et émincez l'oignon. Dans une poêle, chauffez l'huile d'olive et faites-le frire pendant 2 ou 3 minutes. Épépinez et émincez les poivrons. Ajoutez-les et faites légèrement dorer à feu moyen. Épluchez et émincez l'ail. Baissez le feu, ajoutez-le et laissez cuire 2 minutes. Incorporez la purée de tomate et 15 cl d'eau. Portez à ébullition et laissez frémir 15 minutes, jusqu'à faire réduire et épaissir la sauce.

2 Pendant ce temps, faites cuire les pâtes dans une grande quantité d'eau bouillante salée. Préchauffez le gril du four au maximum. Salez et poivrez la sauce, puis ajoutez le sucre. Ciselez grossièrement le basilic. Égouttez les pâtes et mélangez la sauce aux pâtes avec la moitié du basilic. Versez dans un plat à gratin.

3 Détaillez le fromage en tranches fines. Répartissez-le sur les pâtes et passez 5 minutes sous le gril, jusqu'à ce que le fromage soit fondu. Servez parsemé du reste de basilic.

• Par portion : 692 Calories – Protéines : 15 g – Glucides : 75 g – Lipides : 39 g (dont 20 g de graisses saturées) – Fibres : 5 g – Sel : 0,59 g –Sucres ajoutés : 15 g.

N'hésitez pas à réaliser la purée de potiron vous-même…
Vos raviolis n'en seront que meilleurs!

Raviolis au potiron

Pour 4 personnes
Préparation et cuisson : 30 min

- 500 g de raviolis au fromage
- 1 oignon
- 1 gousse d'ail
- 1 cuill. à soupe d'huile d'olive
- 425 g de purée de potiron en conserve
- 50 g de parmesan finement râpé
- 1 citron
- 1 pincée de piment en poudre
- 25 g de beurre
- 85 g de chapelure
- 2 cuill. à soupe de sauge ciselée
+ feuilles de sauge frites pour décorer
- sel et poivre du moulin

1   Faites cuire les pâtes dans une grande quantité d'eau bouillante salée. Pendant ce temps, pelez et hachez finement l'oignon, épluchez et écrasez l'ail. Chauffez l'huile d'olive dans une casserole et faites fondre l'oignon et l'ail pendant 2 ou 3 minutes. Ajoutez la purée de potiron, 30 cl d'eau et le parmesan. Prélevez finement le zeste du citron à l'aide d'un zesteur ou d'un couteau Économe. Ajoutez le zeste de citron, le piment, mélangez bien et faites cuire 3 ou 4 minutes à feu doux. Salez et poivrez.

2   Dans une poêle, faites fondre le beurre, ajoutez la chapelure et laissez blondir, puis incorporez la sauge ciselée.

3   Égouttez les pâtes et répartissez-les dans les assiettes. Nappez de sauce au potiron et saupoudrez de chapelure à la sauge. Garnissez de feuilles de sauge frites et servez.

- Par portion : 674 Calories – Protéines : 26 g – Glucides : 94 g – Lipides : 24 g (dont 12 g de graisses saturées) – Fibres : 5 g – Sel : 1,28 g – Pas de sucres ajoutés.

Ces lasagnes ne cuisent pas au four et se préparent
directement dans l'assiette. Simplissime !

Lasagnes pimentées aux légumes

Pour 4 personnes
Préparation et cuisson : 30 min

- 1 oignon
- 1 cuill. à soupe d'huile d'olive
- 2 gousses d'ail
- 1 piment rouge
- 1 aubergine
- 1 courgette
- 400 g de cocos roses en conserve
- 400 g de tomates concassées en conserve
- 2 cuill. à soupe de concentré de tomate
- 250 g de lasagnes
- 1 poignée de feuilles de basilic
- 100 g de cheddar
- sel et poivre du moulin

1   Pelez et hachez l'oignon. Dans une poêle, chauffez l'huile d'olive et faites-le fondre 3 minutes. Épluchez et écrasez l'ail. Émincez finement le piment, coupez l'aubergine et la courgette en dés. Ajoutez ces ingrédients et faites revenir 2 minutes. Égouttez les cocos roses et incorporez-les ainsi que les tomates et le concentré. Salez et poivrez. Portez à ébullition et laissez frémir 5 minutes.

2   Pendant ce temps, faites cuire les pâtes dans de l'eau bouillante salée. Égouttez et coupez chaque lasagne en deux suivant la diagonale. Ciselez grossièrement presque tout le basilic. Ajoutez-le aux légumes.

3   Déposez quelques cuillerées de légumes sur les assiettes, posez les lasagnes, puis répartissez le reste des légumes. Râpez le fromage et parsemez-en le dessus. Pour finir, décorez avec le basilic restant.

- Par portion : 400 Calories – Protéines : 17 g – Glucides : 73 g – Lipides : 6 g (dont 1 g de graisses saturées) – Fibres : 11 g – Sel : 1,21 g – Pas de sucres ajoutés.

Les pâtes fraîches sont bien plus savoureuses…
et en plus elles nécessitent un temps de cuisson plus court
que les pâtes sèches.

Cannellonis à la tomate et au fromage

Pour 4 personnes
Préparation et cuisson : 1 h 20

- 5 cuill. à soupe d'huile d'olive
- 750 g de tomates cerises mûres
- 2 cuill. à café d'origan séché
- 2 cuill. à café de sucre blond en poudre
- 225 g de fromage de chèvre frais sans la croûte
- 6 cuill. à soupe de pesto vert ou rouge
- 12 lasagnes fraîches
- 350 g de tomates en grappe mûres
- 3 cuill. à soupe de parmesan finement râpé
- feuilles de basilic pour décorer
- sel et poivre du moulin

1 Préchauffez le four à 220 °C (therm. 7-8). Badigeonnez d'huile d'olive un plat à four peu profond. Dans une poêle à feu vif, faites chauffer l'huile, puis ajoutez les deux tiers des tomates cerises, couvrez et faites cuire 5 minutes en remuant. Ajoutez l'origan et le sucre. Salez et poivrez.

2 Dans un saladier, mélangez le fromage de chèvre et le pesto. Étalez les lasagnes et recouvrez-les de ce mélange. Coupez les tomates en grappe en fines tranches. Disposez-les dessus, puis roulez les lasagnes pour former des cannellonis. Dans le plat à four, déposez la moitié de la sauce à la tomate, puis les cannellonis et versez le reste de la sauce. Coupez les tomates cerises restantes en deux, répartissez-les sur le plat, puis couvrez d'une feuille d'aluminium.

3 Enfournez et laissez cuire de 25 à 30 minutes. Retirez la feuille d'aluminium. Saupoudrez de parmesan et remettez 10 minutes au four pour faire gratiner. Parsemez de basilic et servez.

- Par portion : 635 Calories – Protéines : 21 g – Glucides : 57 g – Lipides : 37 g (dont 5 g de graisses saturées) – Fibres : 6 g – Sel : 1,46 g – Sucres ajoutés : 3 g.

La sauce florentine est une sorte de béchamel au fromage
et avec des épinards.

Pâtes gratinées à la florentine

Pour 4 personnes
Préparation et cuisson : 1 h

- 500 g de champignons de Paris
- 1 cuill. à soupe d'huile d'olive
- 2 gousses d'ail
- 200 g d'épinards en branche en conserve
- 10 cl de béchamel prête à l'emploi
- 30 cl de lait
- 50 g de parmesan finement râpé
- 300 g de puntalette (petites pâtes, aussi appelées « langues d'oiseau »)
- sel et poivre du moulin

1   Préchauffez le four à 190 °C (therm. 6-7). Émincez grossièrement les champignons. Dans une poêle, chauffez l'huile d'olive et faites-les blondir 5 minutes à feu vif. Épluchez et hachez l'ail. Baissez le feu, ajoutez l'ail et laissez encore cuire 2 minutes. Salez, poivrez et transférez dans un plat à gratin.

2   Égouttez les épinards. Dans un saladier, réunissez les épinards, la béchamel, le lait, la moitié du parmesan et les pâtes. Mélangez bien, salez et poivrez. Versez sur les champignons et saupoudrez du reste de parmesan.

3   Faites cuire 45 minutes au four, jusqu'à ce que les pâtes soient tendres et aient absorbé le liquide.

- Par portion : 594 Calories – Protéines : 27 g – Glucides : 67 g – Lipides : 26 g (dont 12 g de graisses saturées) – Fibres : 4 g – Sel : 1,56 g – Pas de sucres ajoutés.

Les gnocchis, composés de pommes de terre, se cuisent comme des pâtes, en seulement quelques minutes, et sont délicieux!

Gnocchis à la courge et au citron

Pour 2 personnes
Préparation et cuisson : 20 min

- 400 g de gnocchis aux pommes de terre
- 300 g de courge butternut
- 2 cuill. à soupe d'huile d'olive
- 1 citron
- 1 cuill. à café de sucre en poudre
- 85 g de beurre
- 2 cuill. à soupe de romarin frais ciselé
- sel et poivre du moulin

1 Faites cuire les gnocchis. Pendant ce temps, pelez, épépinez et coupez grossièrement la courge en morceaux. Chauffez l'huile d'olive dans une poêle et faites revenir la courge pendant 5 minutes, jusqu'à ce qu'elle soit tendre. Prélevez finement le zeste du citron à l'aide d'un zesteur ou d'un couteau Économe. Coupez le citron en deux et pressez 1/2 citron. Saupoudrez la courge de sucre, ajoutez le zeste de citron et laissez encore cuire 1 minute pour faire légèrement caraméliser.

2 Dans une casserole, faites fondre le beurre. Incorporez le jus de citron, le romarin, salez et poivrez. Égouttez les gnocchis et mélangez-les à la courge en remuant.

3 Répartissez dans les assiettes et arrosez de sauce citronnée. Servez chaud.

- Par portion : 615 Calories – Protéines : 8 g – Glucides : 63 g – Lipides : 39 g (dont 21 g de graisses saturées) – Fibres : 5 g – Sel : 0,97 g – Sucres ajoutés : 3 g.

Un plat consistant et chaleureux, qui fera l'unanimité !

Gnocchis aux fèves

Pour 4 personnes
Préparation et cuisson : 20 min

- 350 g de gnocchis aux pommes de terre
- 250 g de petits champignons de Paris
- 2 cuill. à soupe d'huile d'olive
- 2 gousses d'ail
- 225 g de fèves surgelées
- 3 cuill. à soupe d'estragon ciselé
- 250 g de mascarpone
- 1 cuill. à soupe de jus de citron
- un peu de parmesan pour décorer
- 1 citron
- sel et poivre du moulin

POUR SERVIR
- salade verte

1   Faites cuire les gnocchis. Égouttez et réservez. Coupez les champignons de Paris en deux. Dans une poêle, chauffez l'huile d'olive, ajoutez les champignons et faites rapidement dorer à feu vif. Débarrassez avec une écumoire et ajoutez aux gnocchis.

2   Essuyez la poêle avec du papier absorbant. Épluchez et écrasez l'ail, puis ajoutez-le dans la poêle avec les fèves, l'estragon et le mascarpone. Chauffez doucement en remuant jusqu'à faire fondre le fromage. Ajoutez le jus de citron, les gnocchis et les champignons. Chauffez 1 minute, puis salez et poivrez.

3   Répartissez dans les assiettes. Râpez des copeaux de parmesan. Prélevez le zeste du citron à l'aide d'un zesteur ou d'un couteau Économe. Parsemez de copeaux de parmesan et du zeste de citron. Servez avec une salade verte.

- Par portion : 488 Calories – Protéines : 10 g – Glucides : 28 g – Lipides : 38 g (dont 20 g de graisses saturées) – Fibres : 5 g – Sel : 0,54 g – Pas de sucres ajoutés.

Un risotto cuit au four à micro-ondes avec un temps de cuisson mini,
mais un maximum de saveurs!

Risotto aux poireaux et aux champignons

Pour 4 personnes
Préparation et cuisson : 40 min

- 1 poireau
- 1 gousse d'ail
- 25 g de beurre
- 1 cuill. à soupe d'huile d'olive
- 300 g de riz à risotto (arborio)
- 85 cl de bouillon de légumes chaud
- 250 g de champignons de Paris
- 50 g de parmesan finement râpé
- sel et poivre du moulin

1 Émincez finement le poireau, épluchez et écrasez l'ail. Dans un saladier, réunissez le poireau, l'ail, le beurre et l'huile d'olive. Couvrez de film alimentaire et faites cuire 5 minutes au four à micro-ondes réglé au maximum.

2 Ajoutez le riz dans le saladier. Chauffez le bouillon de légumes et versez-le sur le riz en remuant. Salez et poivrez. Faites cuire à découvert pendant 10 minutes au four à micro-ondes réglé au maximum. Émincez les champignons de Paris et ajoutez-les. Faites encore cuire 6 minutes.

3 Ajoutez la moitié du parmesan et laissez reposer 5 minutes. Saupoudrez du reste de parmesan et servez chaud.

• Par portion : 397 Calories – Protéines : 13 g – Glucides : 60 g – Lipides : 13 g (dont 6 g de graisses saturées) – Fibres : 3 g – Sel : 1,22 g – Pas de sucres ajoutés.

Ce risotto cuit au four est particulièrement crémeux.

Risotto aux poivrons
et aux épinards

Pour 2 personnes

Préparation et cuisson : 55 min

- 1 petit oignon rouge
- 1 gousse d'ail
- 25 g de beurre
- 100 g de riz à risotto (arborio)
- 1 cuill. à soupe de romarin frais ciselé
- 30 cl de bouillon de légumes
- 25 cl de vin blanc
- 290 g de poivrons à la sauce tomate en conserve
- 50 g d'épinards
- 25 g de parmesan finement râpé
- brins de romarin frais pour décorer
- sel et poivre du moulin

1   Préchauffez le four à 180 °C (therm. 6). Pelez et hachez l'oignon, épluchez et écrasez l'ail. Répartissez le beurre et l'ail dans un plat à gratin et faites cuire 2 minutes au four, jusqu'à faire fondre le beurre. Ajoutez l'oignon, remuez et remettez 3 ou 4 minutes au four pour le faire blondir.

2   Ajoutez le riz et le romarin ciselé, versez le bouillon de légumes et le vin blanc, puis enfournez encore 30 minutes au four, en remuant une ou deux fois.

3   Incorporez les poivrons à la sauce tomate et les épinards, puis remettez 10 minutes au four, jusqu'à absorption de tout le liquide. Incorporez le parmesan, salez et poivrez. Servez chaud, garni de brins de romarin.

• Par portion : 534 Calories – Protéines : 11 g – Glucides : 54 g – Lipides : 23 g (dont 10 g de graisses saturées) – Fibres : 3 g – Sel : 1,25 g – Pas de sucres ajoutés.

Un plat simple, que vous pouvez enrichir en ajoutant des petits pois, des champignons poêlés ou du maïs.

Riz à la tomate et au cheddar

Pour 4 personnes
Préparation et cuisson : 1 h

- 1 oignon
- 1 gousse d'ail
- 1 poivron rouge
- 2 cuill. à soupe d'huile végétale
- 300 g de riz long
- 1 l de bouillon de légumes
- 225 g de tomates concassées en conserve
- 100 g de cheddar
- ciboulette et feuilles de salade pour décorer
- sel et poivre du moulin

1 Préchauffez le four à 180 °C (therm. 6). Épluchez l'oignon et l'ail, puis hachez-les finement. Épépinez et émincez le poivron. Dans une cocotte, chauffez l'huile végétale et faites dorer l'oignon et le poivron à feu moyen. Ajoutez l'ail et laissez encore cuire 1 minute.

2 Versez le riz en remuant jusqu'à ce qu'il soit complètement enrobé d'huile. Incorporez le bouillon de légumes et les tomates. Salez et poivrez. Portez à ébullition, puis laissez frémir 5 minutes, jusqu'à absorption presque complète du liquide.

3 Coupez le fromage en cubes. Parsemez le riz de fromage, couvrez et faites cuire 30 minutes au four, jusqu'à ce que le riz soit tendre. Laissez reposer 5 minutes, garnissez de ciboulette, de feuilles de salade et servez.

• Par portion : 463 Calories – Protéines : 14 g – Glucides : 72 g – Lipides : 15 g (dont 6 g de graisses saturées) – Fibres : 2 g – Sel : 1,32 g – Pas de sucres ajoutés.

Faites cuire et refroidir le riz avant de le faire sauter :
le plat n'en sera que plus réussi.

Riz sauté aux légumes façon thaïe

Pour 2 personnes

Préparation et cuisson : 35 min

- 140 g de riz au jasmin
- 1 piment rouge
- 2 échalotes
- 1 tige de citronnelle
- 1 morceau de gingembre frais de 5 cm de long
- 1 gousse d'ail
- 2 cuill. à soupe d'huile de tournesol
- 1 poivron rouge
- 2 cives
- 1 carotte
- 85 g de haricots mange-tout
- 1 cuill. à soupe de sauce soja
- 25 g de copeaux de noix de coco grillés
- feuilles de coriandre pour décorer

1 Faites cuire le riz. Transférez dans un plat creux et laissez refroidir. Émincez finement le piment. Épluchez et émincez les échalotes. Hachez finement la citronnelle et le gingembre. Pelez et écrasez l'ail. Dans une poêle, chauffez la moitié de l'huile de tournesol. Faites revenir tous ces ingrédients pendant 2 minutes à feu doux. Ajoutez le riz et faites revenir 3 ou 4 minutes en remuant.

2 Pendant ce temps, épépinez et émincez le poivron, épluchez et coupez les cives en quartiers, puis la carotte et les haricots en julienne. Chauffez le restant d'huile dans une seconde poêle et faites sauter ces ingrédients pendant 2 ou 3 minutes.

3 Incorporez la sauce soja au riz et répartissez dans les bols. Garnissez avec les légumes cuits, les copeaux de noix de coco et parsemez de coriandre.

- Par portion : 930 Calories – Protéines : 17 g – Glucides : 177 g – Lipides : 22 g (dont 6 g de graisses saturées) – Fibres : 5 g – Sel : 1,17 g – Pas de sucres ajoutés.

Le *nasi goreng* est un plat traditionnel indonésien
signifiant littéralement « riz frit ».

Nasi goreng pimenté

Pour 2 personnes

Préparation et cuisson : 35 min

- 300 g de riz long
- 2 œufs moyens
- 2 oignons
- 3 gousses d'ail
- 2 piments rouges
- 3 cuill. à soupe d'huile d'arachide
- 1 poivron jaune
- 2 carottes
- 2 cuill. à soupe de sauce soja
- 4 cives
- 4 cuill. à soupe de feuilles de coriandre ciselées
- sel et poivre du moulin

1 Rincez le riz et versez-le dans un wok ou une sauteuse, ajoutez 60 cl d'eau et portez à ébullition. Couvrez et faites cuire à feu doux pendant 15 minutes, jusqu'à absorption du liquide. Transférez dans un plat creux et laissez refroidir.

2 Pendant ce temps, faites chauffer le récipient. Battez les œufs et ajoutez-les. Faites cuire en remuant jusqu'à obtenir des œufs brouillés. Retirez-les et réservez. Pelez les oignons et émincez-les. Épluchez l'ail. Pour finir, détaillez finement les piments. Dans un mixeur, réduisez l'ail, la moitié des oignons et des piments en pâte lisse. Toujours dans le même récipient, chauffez l'huile d'arachide et faites revenir 1 minute la pâte pimentée. Ajoutez le reste des oignons et des piments. Épépinez et émincez le poivron, coupez les carottes en julienne. Incorporez ces légumes et faites sauter 2 minutes.

3 Ajoutez le riz froid et faites revenir 3 minutes. Incorporez la sauce soja, émincez les cives en lanières et ajoutez-les ainsi que les œufs brouillés en remuant. Faites bien chauffer. Salez et poivrez si nécessaire. Servez aussitôt, garni de coriandre.

- Par portion : 445 Calories – Protéines : 10 g – Glucides : 72 g – Lipides : 15 g (dont 3 g de graisses saturées) – Fibres : 2 g – Sel : 0,16 g – Pas de sucres ajoutés.

Les nouilles chinoises cuisent rapidement.
Elles sont délicieuses avec les légumes sautés
ou dans une salade tiède.

Salade de nouilles tiède au sésame

Pour 2 personnes
Préparation et cuisson : 15 min

- 140 g de nouilles chinoises
- 3 cuill. à soupe d'huile de sésame
- 1 cuill. à soupe de sauce soja
- 2 cuill. à café de jus de citron
- 1 carotte
- 1 morceau de courgette ou de concombre de 10 cm de long
- 2 cuill. à café de graines de sésame
- 4 cives
- 2 gousses d'ail
- 25 g de gingembre frais
- 1/2 ou 1 cuill. à café de cinq-épices
- 1 poignée de mâche ou de roquette pour décorer
- sel et poivre du moulin

1   Faites cuire les nouilles. Versez dans une passoire, rincez sous l'eau froide et égouttez. Dans un saladier, mélangez les nouilles avec 2 cuillerées à soupe d'huile de sésame, la sauce soja et le jus de citron.

2   Avec un couteau Économe, coupez la carotte et la courgette ou le concombre en fines lanières. Ajoutez aux nouilles.

3   Dans une poêle, faites blondir les graines de sésame à sec. Saupoudrez-en les nouilles. Émincez les cives, épluchez et hachez finement l'ail et le gingembre. Dans la poêle, versez le reste d'huile et faites revenir 30 secondes ces ingrédients avec le cinq-épices. Versez le tout sur les nouilles en remuant et garnissez de mâche ou de roquette. Salez et poivrez, si nécessaire.

- Par portion : 655 Calories – Protéines : 15 g – Glucides : 58 g – Lipides : 42 g (dont 5 g de graisses saturées) – Fibres : 6 g – Sel : 1,47 g – Pas de sucres ajoutés.

Le tofu est un dérivé des haricots de soja.
Il absorbe les parfums des ingrédients qui l'accompagnent.

Nouilles au tofu

Pour 4 personnes
Préparation et cuisson : 25 min

- 250 g de nouilles chinoises
- 3 cives
- 2 gousses d'ail
- 1 morceau de gingembre frais de 2 cm de long
- 1 cuill. à soupe d'huile végétale
- 285 g de tofu
- 230 g de pousses de bambou en conserve
- 100 g de haricots mange-tout
- 100 g de pousses de soja
- 2 cuill. à soupe de sauce soja
- 2 cuill. à soupe de sauce au piment douce

1   Faites cuire les nouilles. Pendant ce temps, épluchez et émincez les cives, pelez et hachez finement l'ail et le gingembre. Chauffez l'huile végétale dans une poêle et faites fondre ces ingrédients pendant 1 ou 2 minutes.

2   Détaillez le tofu en cubes. Ajoutez-le et faites dorer 2 ou 3 minutes à feu vif. Émincez les pousses de bambou et les haricots, puis incorporez-les avec les pousses de soja et faites revenir 1 ou 2 minutes.

3   Égouttez les nouilles, versez-les dans la poêle avec la sauce soja et la sauce au piment. Mélangez, chauffez et servez aussitôt.

- Par portion : 361 Calories – Protéines : 16 g – Glucides : 49 g – Lipides : 12 g (dont 1 g de graisses saturées) – Fibres : 4 g – Sel : 1,4 g – Pas de sucres ajoutés.

Le *satay* est une spécialité asiatique à base de noix de coco et d'arachides.

Nouilles satay façon thaïe

Pour 4 personnes
Préparation et cuisson : 25 min

- 300 g de nouilles chinoises précuites sous vide
- 1 morceau de gingembre frais de 5 cm de long
- 140 g de brocolis
- 1 poivron rouge
- 85 g de mini épis de maïs
- 2 cuill. à soupe d'huile de sésame
- 3 gousses d'ail
- 50 g de haricots mange-tout
- 25 g de cacahuètes grillées
- 1 poignée de feuilles de basilic

POUR LA SAUCE
- 3 cuill. à soupe de beurre de cacahuètes
- 3 cuill. à soupe de sauce au piment douce
- 10 cl de lait de coco épais
- 10 cl de bouillon de légumes
- 2 cuill. à soupe de sauce soja

1   Préparez la sauce. Mélangez tous les ingrédients jusqu'à former une sauce lisse.

2   Versez de l'eau bouillante sur les nouilles et romuez doucement pour les séparer. Pelez et râpez le gingembre, détaillez les brocolis en bouquets, épépinez et émincez le poivron, coupez les épis de maïs en deux dans la longueur. Dans un wok ou une sauteuse, chauffez l'huile de sésame et faites revenir ces ingrédients pendant 3 minutes. Pelez et hachez finement l'ail. Ajoutez-le avec les haricots et faites encore revenir 2 minutes. Incorporez la sauce *satay* et portez à ébullition.

3   Égouttez soigneusement les nouilles. Versez dans le wok ou la sauteuse et faites sauter 1 ou 2 minutes à feu vif. Hachez grossièrement les cacahuètes. Parsemez de cacahuètes et de basilic avant de servir.

- Par portion : 588 Calories – Protéines : 18 g – Glucides : 62 g – Lipides : 31 g (dont 8 g de graisses saturées) – Fibres : 7 g – Sel : 1,8 g – Pas de sucres ajoutés.

La smetana est une spécialité des pays de l'Europe de l'Est. Vous pouvez la remplacer par un mélange de crème fraîche, de jus de citron et de poivre.

Betteraves rôties au raifort

Pour 4 personnes
Préparation et cuisson : 1 h

- 1 kg de betteraves crues
- 400 g d'échalotes
- 3 cuill. à soupe d'huile d'olive
- 3 cuill. à soupe de vinaigre balsamique
- 3 cuill. à café de graines de cumin + un peu pour décorer
- 1 poignée de ciboulette pour décorer
- sel et poivre du moulin

POUR LA SAUCE
- 15 cl de smetana
- 25 g de raifort râpé ou 2 cuill. à soupe de raifort en conserve

POUR SERVIR
- riz nature

1   Préchauffez le four à 200 °C (therm. 6-7). Épluchez et coupez les betteraves en quartiers. Pelez et coupez les échalotes en deux si elles sont trop grosses. Déposez ces ingrédients dans un plat à four. Arrosez d'huile d'olive et de vinaigre balsamique, salez, poivrez et secouez pour bien enrober les légumes. Faites rôtir 25 minutes au four.

2   Ajoutez le cumin et remuez de nouveau. Laissez encore cuire 20 minutes, jusqu'à ce que les betteraves soient tendres et les échalotes dorées.

3   Préparez la sauce. Mélangez tous les ingrédients, salez et poivrez. Servez les légumes avec du riz nature, nappés de crème au raifort, garnis de ciboulette et de graines de cumin.

- Par portion : 256 Calories – Protéines : 9 g – Glucides : 28 g – Lipides : 13 g (dont 2 g de graisses saturées) – Fibres : 7 g – Sel : 0,53 g – Pas de sucres ajoutés.

Choisissez du fromage blanc en faisselle, légèrement aigrelet.

Polenta aux légumes nouveaux

Pour 4 personnes
Préparation et cuisson : 15 min

- 100 g de mini épis de maïs
- 100 g de haricots mange-tout ou haricots d'Espagne
- 100 g de petites carottes
- 100 g de petits pois
- 1 citron
- 1 gousse d'ail
- 2 cuill. à soupe de persil plat ciselé
- un peu de parmesan
- sel et poivre du moulin

POUR LA POLENTA
- 85 cl de bouillon de légumes
- 175 g de polenta instantanée
- 100 g de fromage blanc
- 125 g de pesto

1   Préparez la polenta. Dans une casserole, portez le bouillon de légumes à ébullition et versez la polenta régulièrement en pluie, en remuant constamment, jusqu'à obtenir une consistance épaisse. Incorporez le fromage blanc et laissez mijoter 5 minutes à feu doux, en remuant de temps en temps.

2   Pendant ce temps, coupez les épis de maïs en deux dans la longueur, équeutez et détaillez les haricots en gros tronçons. Faites cuire ces légumes avec la carotte et les petits pois pendant 3 ou 4 minutes à la vapeur. Enlevez la polenta du feu et incorporez le pesto en battant. Salez et poivrez. Répartissez la polenta sur les assiettes préalablement chauffées.

3   Déposez les légumes sur la polenta. Prélevez le zeste du citron à l'aide d'un zesteur ou d'un couteau Économe et hachez-le. Épluchez et hachez finement l'ail. Saupoudrez de zestes de citron, d'ail et de persil plat. Râpez quelques copeaux de parmesan. Parsemez-en la polenta et servez aussitôt.

• Par portion : 394 Calories – Protéines : 15 g – Glucides : 40 g – Lipides : 21 g (dont 3 g de graisses saturées) – Fibres : 4 g – Sel : 1,27 g – Pas de sucres ajoutés.

Servez ce plat dans des bols accompagné de fromage frais
et de pain plat indien ou de riz nature.

Curry de potiron aux pommes

Pour 4 personnes
Préparation et cuisson : 45 min

- 1 gros oignon
- 1 cuill. à soupe d'huile de tournesol
- 3 gousses d'ail
- 500 g de potiron
- 800 g de pommes de terre
- 1 pomme
- 1 morceau de gingembre frais de 2,5 cm de long
- 2 cuill. à café de pâte de curry douce
- 1 cuill. à café de curcuma + un peu pour saupoudrer
- 2 feuilles de laurier
- 1 bouillon cube de légumes
- 50 g de raisins secs
- 4 cuill. à soupe de fromage frais
- sel et poivre du moulin

POUR SERVIR
- pain plat indien ou riz nature

1   Pelez et hachez grossièrement l'oignon. Chauffez l'huile de tournesol dans une poêle et faites-le blondir pendant 5 minutes. Épluchez et hachez l'ail. Pelez, épépinez et coupez le potiron en cubes. Détaillez aussi les pommes de terre et la pomme en cubes. Ajoutez ces ingrédients. Pelez et hachez le gingembre. Incorporez-le avec la pâte de curry, le curcuma et le laurier.

2   Versez 50 cl d'eau, ajoutez le bouillon cube et les raisins. Salez et poivrez. Portez à ébullition en remuant. Couvrez et laissez frémir 15 minutes, en remuant de temps en temps, jusqu'à ce que les légumes soient tendres.

3   Versez dans les bols. Déposez 1 cuillerée de fromage blanc dans chacun et saupoudrez de 1 pincée de curcuma. Servez avec du pain plat indien ou du riz nature tiède.

- Par portion : 270 Calories – Protéines : 5 g – Glucides : 55 g – Lipides : 5 g (dont 1 g de graisses saturées) – Fibres : 6 g – Sel : 0,23 g – Pas de sucres ajoutés.

Cette tarte rustique se sert chaude ou froide.

Tarte aux pommes de terre et aux oignons

Pour 4 personnes
Préparation et cuisson : 50 min

- 375 g de pâte brisée prête à l'emploi
- 450 g d'oignons
- 2 cuill. à soupe d'huile d'olive
- 2 gousses d'ail
- 3 cuill. à soupe de feuilles de thym frais ou 1 cuill. à soupe de thym séché
- 750 g de pommes de terre
- 2 œufs
- 20 cl de crème fraîche
- 2 cuill. à soupe de moutarde en grains
- sel et poivre du moulin

1 Préchauffez le four à 220 °C (therm. 7-8). Tapissez une plaque à bords droits d'environ 23 cm x 33 cm de pâte brisée. Pelez et émincez finement les oignons. Dans une poêle, chauffez l'huile d'olive et faites-les légèrement caraméliser de 8 à 10 minutes. Épluchez et écrasez l'ail. Ajoutez l'ail et la plus grande partie du thym, puis laissez cuire 2 minutes. Nappez la pâte de la moitié des oignons.

2 Coupez les pommes de terre en tranches épaisses. Dans de l'eau bouillante salée, faites-les cuire 4 ou 5 minutes. Égouttez bien et répartissez-les sur la pâte. Garnissez du reste des oignons.

3 Dans un saladier, battez les œufs, la crème fraîche et la moutarde ensemble. Salez, poivrez et versez sur les oignons. Parsemez du reste de thym et faites dorer 20 minutes au four.

• Par portion : 706 Calories – Protéines : 14 g – Glucides : 84 g – Lipides : 37 g (dont 14 g de graisses saturées) – Fibres : 6 g – Sel : 0,84 g – Pas de sucres ajoutés.

Une délicieuse salade orientale avec des pois chiches
et des morceaux de pain indien.

Salade de pois chiches à l'indienne

Pour 4 personnes
Préparation et cuisson : 30 min

- 3 gousses d'ail
- 2 piments rouges
- 4 cuill. à soupe de graines de cumin
- 6 cuill. à soupe d'huile d'olive
- 800 g de pois chiches en conserve
- 3 tomates
- 1 citron
- 1 naan
- sel et poivre du moulin

POUR LA SALADE
- 1/2 concombre
- 1 oignon rouge moyen
- 25 g de feuilles de coriandre
- 100 g de pousses d'épinard

1   Pelez l'ail et émincez-le, épépinez les piments et détaillez-les. Écrasez légèrement les graines de cumin. Dans une poêle, versez 5 cuillerées à soupe d'huile d'olive. Ajoutez l'ail, les piments et le cumin, puis chauffez 10 minutes à feu moyen. Veillez à ne pas faire brûler l'ail. Égouttez et rincez les pois chiches. Réservez leur jus. Ajoutez-les et faites encore chauffer 5 minutes. Pendant ce temps, préchauffez le gril au maximum.

2   Épépinez et concassez les tomates. Prélevez le zeste du citron à l'aide d'un zesteur ou d'un couteau Économe et pressez le jus. Ajoutez les tomates, le zeste et le jus de citron, ainsi que le jus des pois chiches. Salez, poivrez et réservez. Badigeonnez le *naan* avec l'huile restante et faites griller sur les deux faces. Découpez-le en morceaux de la taille d'une bouchée.

3   Préparez la salade. Coupez le concombre en bâtonnets, épluchez et émincez l'oignon. Mélangez tous les ingrédients et répartissez la salade sur les assiettes. Disposez dessus les pois chiches et finissez par les morceaux de *naan*.

- Par portion : 641 Calories – Protéines : 23 g – Glucides : 66 g – Lipides : 33 g (dont 6 g de graisses saturées) – Fibres : 11 g – Sel : 0,65 g – Sucres ajoutés : 0,2 g.

Le couscous instantané est vite prêt
et se marie bien avec les légumes rôtis.

Couscous aux légumes rôtis

Pour 4 personnes
Préparation et cuisson : 45 min

- 1 poivron rouge
- 1 poivron jaune
- 2 courgettes
- 1 aubergine
- 1 oignon rouge
- 2 gousses d'ail
- 1 cuill. à soupe de romarin frais ciselé
- 5 cuill. à soupe d'huile d'olive
- 250 g de couscous instantané
- 400 g de flageolets en conserve
- 2 cuill. à soupe de vinaigre balsamique
- sel et poivre du moulin

POUR SERVIR
- salade verte

1   Préchauffez le four à 220 °C (therm. 7-8).
Épépinez et coupez les poivrons en dés. Détaillez
aussi les courgettes et l'aubergine en dés. Pelez
et hachez l'oignon et l'ail. Répartissez tous ces
ingrédients dans un plat à rôtir, parsemez de
romarin et arrosez de 4 cuillerées à soupe d'huile
d'olive. Salez, poivrez et faites rôtir 20 minutes,
en remuant à mi-cuisson.

2   Pendant ce temps, dans un saladier, versez
40 cl d'eau bouillante sur la semoule. Salez, poivrez
et laissez reposer 20 minutes, jusqu'à absorption
complète de l'eau. Égouttez et rincez les flageolets.
Ajoutez les flageolets et le vinaigre balsamique
aux légumes, mélangez bien et laissez encore
cuire 10 minutes.

3   Égrainez la semoule avec une fourchette.
Répartissez dans les assiettes et garnissez avec
les légumes. Servez avec une salade verte.

• Par portion : 478 Calories – Protéines : 15 g –
Glucides : 61 g – Lipides : 21 g (dont 3 g de graisses
saturées) – Fibres : 7 g – Sel : 0,06 g – Pas de sucres
ajoutés.

N'importe quel fromage est délicieux préparé ainsi.
Essayez également le brie à la place du chèvre.

Aubergines au fromage de chèvre

Pour 4 personnes
Préparation et cuisson : 25 min

- 4 aubergines moyennes
- 10 cl d'huile d'olive
- 2 cuill. à soupe de purée de tomates séchées
- 25 g de feuilles de basilic
- 4 fromages de chèvre individuels à croûte fleurie (type crottin de Chavignol)
- 1 cuill. à soupe de vinaigre de vin blanc
- 1 cuill. à café de moutarde forte
- 1 pincée de sucre en poudre
- 85 g de radis
- 160 g d'un mélange de feuilles de salade
- sel et poivre du moulin

1   Préchauffez le gril au maximum. Coupez les aubergines en deux dans la longueur. Badigeonnez les moitiés de 3 cuillerées à soupe d'huile d'olive. Salez et poivrez. Disposez les aubergines sur une feuille de papier sulfurisé, côté coupé vers le haut et passez-les 7 minutes sous le gril. Retournez-les et faites griller 5 minutes l'autre face, jusqu'à ce qu'elles soient bien cuites.

2   Étalez de la purée de tomates séchées sur chaque moitié d'aubergine, puis parsemez de basilic. Détaillez les fromages en quatre rondelles et disposez-en deux par moitié d'aubergine. Salez, poivrez et remettez sous le gril, jusqu'à ce que la surface du fromage soit bouillonnante.

3   Dans un saladier, battez au fouet le reste d'huile, le vinaigre, la moutarde et le sucre. Coupez les radis en deux et imprégnez bien la salade et les radis de sauce. Répartissez-les sur les assiettes et disposez les aubergines au fromage dessus.

- Par portion : 416 Calories – Protéines : 12 g – Glucides : 10 g – Lipides : 37 g (dont 4 g de graisses saturées) – Fibres : 7 g – Sel : 2,36 g – Pas de sucres ajoutés.

Le paneer est une variété de fromage frais indien à base
de lait caillé égoutté et mis sous presse.

Curry aux petits pois et au paneer

Pour 4 personnes
Préparation et cuisson : 45 min

- 225 g de paneer ou autre fromage frais (type Saint-Môret)
- 2 cuill. à soupe d'huile végétale
- 1 oignon
- 2 cuill. à soupe de pâte de curry douce
- 450 g de pommes de terre
- 400 g de tomates concassées en conserve
- 30 cl de bouillon de légumes
- 300 g de petits pois surgelés
- sel et poivre du moulin

POUR SERVIR
- riz nature

1   Coupez le fromage en morceaux. Chauffez la moitié de l'huile végétale dans une poêle. Faites frire le fromage pendant 2 ou 3 minutes en le remuant. Enlevez avec une écumoire et réservez.

2   Épluchez et émincez finement l'oignon. Faites-le fondre 4 ou 5 minutes avec l'huile restante dans la poêle. Ajoutez la pâte de curry et faites revenir 2 minutes en remuant.

3   Coupez les pommes de terre en morceaux. Ajoutez-les ainsi que les tomates et le fromage frit. Versez le bouillon de légumes, portez à ébullition et laissez frémir 15 minutes. Ajoutez les petits pois, portez de nouveau à ébullition et laissez frémir 5 minutes. Salez, poivrez et servez avec du riz nature.

- Par portion : 404 Calories – Protéines : 20 g – Glucides : 32 g – Lipides : 22 g (dont 9 g de graisses saturées) – Fibres : 7 g – Sel : 2,84 g – Pas de sucres ajoutés.

Vous pouvez aussi remplacer le fromage de chèvre par du cheddar.

Crumble de tomates
au fromage de chèvre

Pour 4 personnes
Préparation et cuisson : 55 min

- 1 kg de tomates mûres
dont 1 barquette de tomates cerises
- 5 cuill. à soupe d'huile d'olive
- 225 g de fromage de chèvre
- 50 g de pignons de pin
- 100 g de chapelure
- 50 g de parmesan finement râpé
- sel et poivre du moulin

1 Préchauffez le four à 190 °C (therm. 6-7). Concassez les tomates à l'exception des tomates cerises. Dans une poêle, chauffez 2 cuillerées d'huile d'olive et faites fondre 10 minutes les tomates concassées, en remuant de temps en temps. Salez, poivrez et enlevez du feu. Ajoutez les tomates cerises en remuant.

2 Répartissez la moitié des tomates dans un plat à gratin et parsemez de la moitié du fromage de chèvre. Répétez l'opération.

3 Dans une poêle, chauffez l'huile restante et faites légèrement revenir ensemble les pignons et la chapelure. Enlevez du feu et incorporez la moitié du parmesan. Répartissez le mélange dans le plat et finissez par le reste de parmesan. Faites cuire de 20 à 25 minutes au four. Servez chaud.

- Par portion : 431 Calories – Protéines : 22 g – Glucides : 28 g – Lipides : 27 g (dont 12 g de graisses saturées) – Fibres : 3 g – Sel : 1,78 g – Pas de sucres ajoutés.

La polenta change de la classique pâte à pizza!

Pizza à la polenta

Pour 4 personnes
Préparation et cuisson : 50 min

- 250 g de polenta instantanée
- 50 g de parmesan finement râpé
- 1 oignon rouge
- 2 gousses d'ail
- 1 cuill. à soupe d'huile d'olive
- 1 courgette
- 100 g de champignons de Paris
- 4 tomates mûres
- 100 g de mozzarella
- 1 cuill. à soupe de pesto vert
- sel et poivre du moulin

POUR SERVIR
- salade verte

1 Faites cuire la polenta. Salez, poivrez et incorporez le parmesan. Versez sur une plaque à pâtisserie huilée et étalez en un cercle de 28 cm de diamètre. Laissez reposer 15 minutes.

2 Préchauffez le four à 200 °C (therm. 6-7). Épluchez et émincez l'oignon et l'ail. Dans une poêle, chauffez l'huile d'olive et faites fondre l'oignon pendant 5 minutes. Émincez la courgette. Ajoutez l'ail et la courgette, puis faites revenir 2 minutes. Salez et poivrez. Émincez les champignons, coupez les tomates en tranches. Répartissez tous ces ingrédients sur la polenta.

3 Détaillez la mozzarella en tranches fines et disposez-les dessus. Parsemez de noisettes de pesto. Faites cuire 20 minutes au four, jusqu'à ce que le fromage ait fondu. Servez coupé en parts avec une salade verte.

- Par portion : 423 Calories – Protéines : 19 g – Glucides : 50 g – Lipides : 18 g (dont 7 g de graisses saturées) – Fibres : 53 g – Sel : 0,83 g – Pas de sucres ajoutés.

Le stilton est un fromage bleu anglais au goût corsé
qui rehausse la saveur des légumes.

Gratin de légumes au stilton

Pour 4 personnes

Préparation et cuisson : 40 min

- 450 g de pommes de terre
- 450 g de carottes
- 450 g de panais
- 1 bouquet de cives
- 1 grosse noix de beurre
- 140 g de stilton ou de bleu d'Auvergne
- sel

1   Préchauffez le four à 200 °C (therm. 6-7). Coupez tous les légumes en grosses tranches. Faites-les cuire de 8 à 10 minutes dans une casserole d'eau bouillante salée : ils doivent rester légèrement fermes. Égouttez bien.

2   Hachez grossièrement les cives. Faites fondre le beurre dans la casserole et laissez doucement blondir les cives pendant 1 ou 2 minutes. Ajoutez les légumes et remuez délicatement pour les enrober de beurre. Beurrez un plat à gratin et versez les légumes au fond.

3   Coupez le fromage en tranches et répartissez-le dans le plat. Faites cuire 20 minutes au four, jusqu'à ce que le fromage soit fondu. Servez aussitôt.

• Par portion : 372 Calories – Protéines : 13 g – Glucides : 43 g – Lipides : 17 g (dont 10 g de graisses saturées) – Fibres : 10 g – Sel : 0,44 g – Pas de sucres ajoutés.

Ce gâteau de légumes est aussi beau que bon!

Mille-feuille de légumes

Pour 6 personnes
Préparation et cuisson : 2 h

- 1 petit citron
- 2 gousses d'ail
- 75 g de beurre ramolli
- 3 cuill. à soupe de feuilles de thym frais
- 85 g de gruyère râpé
- 750 g de pommes de terre
- 225 g de céleri-rave
- 450 g de carottes
- 450 g de panais
- sel et poivre du moulin

1   Préchauffez le four à 190 °C (therm. 6-7). Beurrez un moule à gâteau de 20 cm de diamètre à fond non amovible. Prélevez finement le zeste du citron à l'aide d'un zesteur ou d'un couteau Économe. Épluchez et écrasez l'ail. Mélangez le beurre avec le zeste de citron, l'ail, le thym et le gruyère. Salez et poivrez.

2   Détaillez les légumes en tranches fines. Au fond du moule, commencez par une couche d'un tiers de pommes de terre, puis de céleri-rave, de carottes et de panais. Parsemez de noisettes de beurre à l'ail. Répétez l'opération deux fois. Donnez un tour de moulin à poivre et finissez par quelques noisettes de beurre.

3   Couvrez le moule d'une feuille de papier sulfurisé et faites cuire 45 minutes au four. Enlevez-la et laissez encore cuire 45 minutes, jusqu'à ce que les légumes soient tendres. Laissez reposer 5 minutes. Démoulez sur une assiette chaude, puis renversez à l'aide d'une seconde assiette pour que la partie gratinée se trouve sur le dessus. Servez aussitôt.

• Par portion : 483 Calories – Protéines : 38 g – Glucides : 46 g – Lipides : 18 g (dont 5 g de graisses saturées) – Fibres : 8 g – Sel : 2,3 g – Pas de sucres ajoutés.

Choisissez un fromage moelleux sans croûte,
et ces tartelettes n'en seront que plus savoureuses!

Tartelettes aux poireaux et au chèvre

Pour 4 personnes
Préparation et cuisson : 45 min

- 250 g de pâte brisée prête à l'emploi
- 1 poireau
- 1 poivron jaune
- 1 cuill. à soupe d'huile d'olive
- 6 olives noires
- 2 cuill. à soupe de feuilles de thym frais
- 100 g de fromage de chèvre moelleux
- sel et poivre du moulin

1   Préchauffez le four à 180 °C (therm. 6). Étalez la pâte sur une surface légèrement farinée et tapissez-en quatre moules de 12 cm de diamètre à fond amovible. Piquez le fond, déposez une feuille de papier sulfurisé, puis garnissez de légumes secs. Faites cuire 12 minutes à blanc.

2   Pendant ce temps, coupez le poireau en deux dans la longueur, puis en tronçons de 1 cm de long. Épépinez et hachez le poivron. Chauffez l'huile d'olive dans une poêle et faites fondre ces ingrédients. Coupez les olives en quatre. Retirez les légumes secs, puis la feuille de papier sulfurisé et garnissez les tartelettes du mélange de légumes. Parsemez d'olives et de thym. Coupez le fromage de chèvre en cubes et répartissez-le sur les tartelettes.

3   Faites cuire de 10 à 12 minutes au four, jusqu'à ce que la pâte soit dorée et que le fromage ait légèrement fondu. Servez aussitôt.

- Par portion : 441 Calories – Protéines : 9 g – Glucides : 38 g – Lipides : 29 g (dont 11 g de graisses saturées) – Fibres : 3 g – Sel : 1,68 g – Pas de sucres ajoutés.

Utilisez de la pâte feuilletée prête à l'emploi pour vous faciliter la vie !

Tarte à l'oignon rouge et à la feta

Pour 4 personnes
Préparation et cuisson : 45 min

- 2 gros oignons rouges
- 25 g de beurre
- 2 cuill. à soupe de sucre muscovado (sucre roux non raffiné)
- 2 cuill. à soupe de vinaigre balsamique
- 450 g de pâte feuilletée prête à l'emploi
- 100 g de feta
- 175 g d'olives noires dénoyautées
- 1 cuill. à soupe d'huile d'olive vierge extra
- feuilles de basilic pour décorer
- sel et poivre du moulin

POUR SERVIR
- salade verte

1 Préchauffez le four à 200 °C (therm. 6-7). Épluchez et émincez les oignons. Dans une poêle chauffez le beurre et ajoutez-les avec 1 pincée de sel. Laissez caraméliser 10 minutes. Ajoutez le sucre et le vinaigre balsamique, puis poursuivez la cuisson pendant 5 minutes, jusqu'à ce que le jus ait réduit et devienne sirupeux. Laissez refroidir.

2 Étalez la pâte sur une surface farinée et tapissez-en une plaque à bords droits d'environ 23 cm x 33 cm. Nappez avec les oignons. Émiettez la feta et hachez les olives. Parsemez-en la tarte. Salez, poivrez et arrosez d'huile d'olive.

3 Faites cuire de 15 à 20 minutes au four, jusqu'à ce que la pâte soit dorée et croustillante. Ciselez le basilic et parsemez-en la tarte. Coupez-la en carrés et servez avec une salade verte.

- Par portion : 646 Calories – Protéines : 11 g – Glucides : 53 g – Lipides : 44 g (dont 18 g de graisses saturées) – Fibres : 2 g – Sel : 4,07 g – Sucres ajoutés : 8 g.

Des asperges vertes à la place des cives donnent un plat
tout aussi savoureux.

Tarte au fromage de chèvre et aux cives

Pour 6 personnes
Préparation et cuisson : 40 min

- 1 bouquet de cives
- 1 cuill. à soupe d'huile d'olive
- 240 g de fromage de chèvre moelleux
- 3 œufs
- 15 cl de crème fraîche épaisse
- 1 pâte brisée prête à l'emploi

1   Préchauffez le four à 190 °C (therm. 6-7) et le gril au maximum. Épluchez et disposez les cives sur une plaque à pâtisserie, puis badigeonnez-les d'huile d'olive. Passez 2 minutes sous le gril.

2   Retirez la croûte du fromage de chèvre et coupez-le en morceaux. Séparez les blancs des jaunes d'œufs. Dans un saladier, réunissez le fromage de chèvre, la crème fraîche et les jaunes d'œufs. Battez jusqu'à obtenir un mélange lisse. Fouettez les blancs en neige ferme et incorporez-les délicatement au mélange. Étalez la pâte dans un moule de 24 cm de diamètre. Versez la garniture sur le fond de pâte et répartissez les cives à la surface.

3   Faites cuire de 20 à 25 minutes au four, jusqu'à ce que la surface soit dorée. Servez tiède.

- Par portion : 337 Calories – Protéines : 11 g – Glucides : 18 g – Lipides : 25 g (dont 13 g de graisses saturées) – Fibres : 1 g – Sel : 0,64 g – Sucres ajoutés : 3 g.

Préférez le curry en pâte, plus crémeux, au curry en poudre.

Œufs au curry

Pour 4 personnes
Préparation et cuisson : 45 min

- 1 gros oignon
- 2 cuill. à soupe d'huile végétale
- 2 cuill. à soupe bombées de pâte de curry
- 230 g de tomates concassées en conserve
- 8 œufs
- 140 g de petits pois surgelés
- 4 cuill. à soupe de yaourt à la grecque
- sel et poivre du moulin

POUR SERVIR
- riz nature
- chutney de mangue

1 Épluchez et émincez finement l'oignon. Dans une poêle, chauffez l'huile végétale et faites blondir l'oignon pendant 10 minutes. Ajoutez la pâte de curry et laissez cuire 2 minutes en remuant. Incorporez les tomates, 20 cl d'eau, salez et poivrez. Portez à ébullition, puis laissez mijoter 20 minutes. Ajoutez de l'eau si le liquide devient trop épais.

2 Pendant ce temps, faites cuire les œufs pendant 10 minutes dans de l'eau.

3 Incorporez les petits pois décongelés et le yaourt au curry à la tomate. Laissez frémir 2 ou 3 minutes. Écalez et coupez les œufs en deux, puis ajoutez-les au curry. Servez accompagné de riz nature et de chutney de mangue.

• Par portion : 302 Calories – Protéines : 18 g – Glucides : 12 g – Lipides : 21 g (dont 5 g de graisses saturées) – Fibres : 3 g – Sel : 0,84 g – Pas de sucres ajoutés.

Cette salade rustique gorgée de soleil est un plat traditionnel italien.

Salade toscane

Pour 4 personnes

Préparation et cuisson : 35 min

- 2 poivrons rouges
- 2 poivrons jaunes
- 1 pain ciabatta
- 2 gousses d'ail
- 6 cuill. à soupe d'huile d'olive vierge extra
- 3 cuill. à soupe de vinaigre de vin rouge
- 6 tomates olivettes mûres
- 1 poignée de feuilles de basilic
- 50 g de câpres
- 50 g d'olives noires marinées
- 2 cuill. à soupe de pignons de pin grillés
- sel et poivre du moulin

1   Préchauffez le gril du four au maximum. Épépinez et coupez les poivrons en quatre. Faites-les griller jusqu'à les carboniser, puis mettez-les dans un sac en plastique pour que la vapeur en décolle la peau.

2   Pendant ce temps, coupez le pain en gros morceaux. Faites-le griller et mettez-le dans un saladier. Épluchez et écrasez l'ail, puis mélangez-le en battant avec l'huile d'olive et le vinaigre. Salez, poivrez et réservez.

3   Enlevez la peau des poivrons et coupez-les en morceaux. Coupez de même les tomates. Ciselez grossièrement presque tout le basilic. Ajoutez ces ingrédients au pain ainsi que les câpres, les olives, les pignons et la sauce à l'ail. Mélangez bien et servez garni du reste de basilic.

- Par portion : 622 Calories – Protéines : 15 g – Glucides : 69 g – Lipides : 33 g (dont 4 g de graisses saturées) – Fibres : 5 g – Sel : 2,68 g – Pas de sucres ajoutés.

Croquante et fraîche, cette salade parfumée à l'orange
est un délicieux plat d'été.

Salade mêlée à l'orange

Pour 4 personnes
Préparation : 15 min

- 2 grosses oranges
- 350 g de céleri branche
- 1 petit oignon rouge
- 225 g de tomates cerises
- 85 g de mâche
- 1 petite gousse d'ail
- 2 cuill. à soupe de menthe ciselée
- 6 cuill. à soupe d'huile d'olive
- 1 cuill. à soupe de vinaigre balsamique
- sel et poivre du moulin

1   Pelez les oranges à vif. Levez les segments un à un au-dessus d'un bol pour récupérer le jus.

2   Mettez les segments dans un saladier. Émincez le céleri en diagonale, épluchez et coupez l'oignon en fin quartiers. Pour finir, coupez les tomates cerises en deux. Ajoutez ces ingrédients ainsi que la mâche dans le saladier.

3   Épluchez et écrasez l'ail. Ajoutez l'ail, la menthe, l'huile d'olive et le vinaigre balsamique au jus d'orange, puis battez jusqu'à obtenir un mélange homogène. Salez, poivrez et versez la sauce sur la salade. Mélangez et servez aussitôt.

- Par portion : 249 Calories – Protéines : 2 g – Glucides : 9 g – Lipides : 23 g (dont 3 g de graisses saturées) – Fibres : 3 g – Sel : 0,19 g – Pas de sucres ajoutés.

Une salade d'hiver colorée au délicieux goût de noix.

Salade de chou rouge tiède

Pour 4 personnes
Préparation et cuisson : 25 min

- 1 oignon rouge
- 1 cuill. à soupe d'huile de tournesol
- 350 g de chou rouge
- 1 pomme rouge
- 1 carotte
- 4 cuill. à soupe d'huile de noix
- 2 cuill. à soupe de vinaigre balsamique
- 1/2 cuill. à café de sucre roux
- 1/2 cuill. à café de moutarde en grains
- 2 sucrines
- 50 g de noix concassées
- feuilles de persil plat pour décorer
- sel et poivre du moulin

1 Pelez et émincez l'oignon. Dans une poêle, chauffez l'huile de tournesol et faites-le fondre pendant 1 ou 2 minutes. Émincez finement le chou et ajoutez-le. Laissez cuire 2 ou 3 minutes. Enlevez du feu. Évidez et coupez la pomme en morceaux, puis râpez la carotte. Ajoutez les dans la poêle.

2 Dans un bol, mélangez, au fouet, l'huile de noix, le vinaigre balsamique, le sucre et la moutarde. Salez et poivrez.

3 Détaillez grossièrement les sucrines, puis répartissez-les sur les assiettes. Posez dessus le chou tiède. Parsemez de noix et arrosez de sauce. Garnissez de persil plat et servez.

- Par portion : 304 Calories – Protéines : 4 g – Glucides : 10 g – Lipides : 28 g (dont 3 g de graisses saturées) – Fibres : 4 g – Sel : 0,09 g – Sucres ajoutés : 1 g.

Les nouilles soba sont composées de farine de sarrasin et de blé.
Vous les trouverez dans les épiceries asiatiques.

Salade de nouilles au cresson

Pour 4 personnes
Préparation et cuisson : 20 min

- 225 g de nouilles soba
- 2 cuill. à soupe de sauce soja
- 2 cuill. à soupe d'huile de sésame
- 4 cuill. à soupe de saké
  ou de vin blanc sec
- 2 cuill. à café de sucre en poudre
- 8 feuilles de menthe
- 1 mangue
- 85 g de cresson sans les tiges
- 2 cuill. à soupe de graines de sésame
  grillées
- 1 cuill. à café de jus de citron vert
- sel

1 Faites cuire les nouilles dans de l'eau bouillante légèrement salée. Égouttez-les et plongez-les dans de l'eau glacée pour arrêter la cuisson. Dans une casserole, réunissez la sauce soja, l'huile de sésame, le saké ou le vin blanc et le sucre, puis chauffez doucement. Enlevez du feu et ajoutez la menthe en remuant. Réservez et laissez infuser.

2 Pendant ce temps, pelez et dénoyautez la mangue, puis coupez-la en longs morceaux. Égouttez les nouilles et mélangez-les à la sauce, à la mangue, au cresson et à la moitié des graines de sésame.

3 Répartissez la salade sur les assiettes et saupoudrez des graines de sésame restantes. Arrosez de jus de citron vert et servez.

- Par portion : 388 Calories – Protéines : 9 g – Glucides : 53 g – Lipides : 16 g (dont 2 g de graisses saturées) – Fibres : 2 g – Sel : 0,04 g – Sucres ajoutés : 3 g.

Une surprenante combinaison de fenouil rôti et de zestes d'orange servie sur un lit de boulgour aux herbes.

Salade de boulgour au fenouil

Pour 4 personnes
Repos : 30 min
Préparation et cuisson : 45 min

- 250 g de boulgour
- 3 fenouils
- 4 cuill. à soupe d'huile d'olive
- 2 oranges
- 4 cuill. à soupe de persil plat ciselé
- 2 cuill. à soupe de menthe ciselée
- 4 tomates olivettes
- 140 g d'olives vertes et noires
- 100 g de roquette
- sel et poivre du moulin

1   Préchauffez le four à 200 °C (therm. 6-7). Mettez le boulgour dans un saladier, couvrez de 1 l d'eau bouillante et laissez reposer 30 minutes. Pendant ce temps, coupez les fenouils en quartiers. Répartissez-les dans un plat à rôtir, arrosez d'huile d'olive, salez et poivrez. Prélevez le zeste des oranges à l'aide d'un zesteur ou d'un couteau Économe et pressez le jus. Ajoutez les zestes et la moitié du jus d'orange, puis faites rôtir 30 minutes au four, jusqu'à ce que les fenouils soient tendres et légèrement carbonisés.

2   Égouttez le boulgour, reversez-le dans le saladier et ajoutez le persil plat, la menthe et le reste de jus d'orange. Mélangez, salez et poivrez. Coupez les tomates en quartiers et égouttez les olives. Dans un second saladier, réunissez les tomates, les olives, la roquette, le fenouil et son jus de cuisson, puis mélangez bien.

3   Répartissez le boulgour sur les assiettes, disposez les légumes dessus et servez.

- Par portion : 422 Calories – Protéines : 9 g – Glucides : 53 g – Lipides : 39 g (dont 5 g de graisses saturées) – Fibres : 8 g – Sel : 0,03 g – Pas de sucres ajoutés.

Servez cette purée de fèves avec du pain grillé
pour un déjeuner ou un dîner léger et rapide.

Purée de fèves à la menthe

Pour 4 personnes

Préparation et cuisson : 20 min

Repos : 30 min

- 500 g de fèves
- 1 gousse d'ail
- 1 bouquet de menthe
- 15 cl d'huile d'olive vierge extra
  + pour servir
- 1 pincée de cumin en poudre
- sel et poivre du moulin

POUR SERVIR
- 8 tranches de pain complet

1   Écossez et pelez les fèves. Faites-les cuire de 10 à 12 minutes dans de l'eau bouillante salée, jusqu'à ce qu'elles soient tendres. Égouttez bien en réservant le liquide de cuisson. Épluchez et hachez finement l'ail. Versez les fèves dans le bol d'un mixeur, ajoutez l'ail et réduisez en purée. Complétez avec du liquide de cuisson pour donner une consistance moelleuse.

2   Préchauffez le gril au maximum. Ciselez la menthe. Versez la purée dans un saladier et incorporez l'huile d'olive, le cumin et la menthe. Salez et poivrez généreusement. Laissez reposer 30 minutes pour permettre aux parfums de se développer.

3   Faites griller le pain sur les deux faces et coupez les tranches en deux. Déposez la purée dessus, arrosez d'huile d'olive et servez.

• Par portion : 413 Calories – Protéines : 7 g – Glucides : 9 g – Lipides : 39 g (dont 5 g de graisses saturées) – Fibres : 8 g – Sel : 0,03 g – Pas de sucres ajoutés.

Le bagel est un petit pain en forme d'anneau très apprécié en Amérique du Nord. On en trouve de différentes sortes : nature, au sésame, au pavot...

Bagels aux légumes rôtis

Pour 4 personnes
Préparation et cuisson : 15 min

- 2 poivrons rouges
- 2 courgettes
- 4 bagels aux oignons
- 4 cuill. à soupe d'huile d'olive
- 2 cuill. à soupe de vinaigre balsamique
- 1/2 cuill. à café de sucre en poudre
- 70 g de roquette
- sel et poivre du moulin

1   Épépinez et coupez les poivrons en morceaux, émincez les courgettes en diagonale. Chauffez une plaque en fonte, badigeonnez-la d'huile d'olive et répartissez dessus ces légumes. Laissez cuire 4 ou 5 minutes, en les retournant, jusqu'à ce qu'ils soient bien grillés. Transférez dans une assiette.

2   Coupez les bagels en deux. Faites-les dorer 1 minute sur la plaque en fonte, face coupée vers le bas. Pendant ce temps, mélangez, au fouet, l'huile d'olive, le vinaigre balsamique et le sucre. Salez et poivrez.

3   Déposez les bagels sur les assiettes et garnissez de légumes grillés et de roquette. Arrosez de sauce et servez aussitôt.

- Par portion : 330 Calories – Protéines : 7 g – Glucides : 32 g – Lipides : 20 g (dont 3 g de graisses saturées) – Fibres : 3 g – Sel : 0,72 g – Sucres ajoutés : 1 g.

Vous trouverez la focaccia dans les épiceries italiennes.
Elle peut être nature, parfumée aux herbes, aux olives
ou aux tomates séchées.

Focaccia aux légumes

Pour 6 personnes
Préparation : 15 min
Réfrigération : 15 min

• 400 g de pois chiches en conserve
• 1 citron
• 1 gousse d'ail
• 5 cuill. à soupe d'huile d'olive
vierge extra
• 1 focaccia aux tomates séchées
de 20 cm de diamètre
• 100 g de tomates confites
• 50 g d'olives noires dénoyautées
marinées
• 30 g d'un mélange de feuilles
de salade
• 1 petit avocat mûr
• sel et poivre du moulin

1   Égouttez et rincez les pois chiches. Pressez le jus du citron. Épluchez l'ail. Dans le bol d'un mixeur, réunissez les pois chiches, la moitié du jus de citron et l'ail, puis réduisez en purée lisse. Sans arrêter le moteur, versez l'huile d'olive en filet régulier jusqu'à obtenir une purée homogène. Salez et poivrez.

2   Coupez la focaccia horizontalement en trois tranches de même épaisseur. Étalez la purée de pois chiches sur les deux premières tranches, puis garnissez de tomates confites, d'olives et de feuilles de salade.

3   Pelez, coupez l'avocat en deux pour retirer son noyau et détaillez-le en morceaux. Arrosez l'avocat du reste de jus de citron, salez et poivrez. Répartissez l'avocat sur les deux tranches de pain, puis reconstituez la focaccia. Réfrigérez 15 minutes au moins avant de découper et de servir.

• Par portion : 305 Calories – Protéines : 8 g – Glucides : 27 g – Lipides : 19 g (dont 2 g de graisses saturées) – Fibres : 4 g – Sel : 1,27 g – Pas de sucres ajoutés.

L'association brocolis et noix révèle bien des surprises...
et des saveurs!

Spaghettis aux brocolis et aux noix

Pour 4 personnes

Préparation et cuisson : 20 min

- 350 g de spaghettis
- 225 g de brocolis
- 1 petit oignon
- 1 gousse d'ail
- 4 cuill. à soupe d'huile d'olive
- 50 g de noix concassées
- 50 g de chapelure
- 1/2 ou 1 cuill. à café de piment en poudre
- 1 cuill. à soupe d'huile de noix
- sel

1   Faites cuire les pâtes pendant 5 minutes dans une grande quantité d'eau bouillante salée. Détaillez les brocolis en bouquets et ajoutez-les. Portez à ébullition et faites encore cuire 5 minutes, jusqu'à ce que les pâtes et les légumes soient tendres.

2   Pendant ce temps, pelez et hachez l'oignon, épluchez et écrasez l'ail. Chauffez la moitié de l'huile d'olive dans une poêle et faites-les fondre 2 minutes. Ajoutez les noix, la chapelure, le piment et l'huile de noix, puis faites revenir en remuant jusqu'à ce que la chapelure soit dorée.

3   Égouttez les pâtes et les brocolis. Remettez le tout dans la casserole, versez le reste d'huile d'olive et mélangez. Répartissez dans les assiettes, parsemez de chapelure et servez aussitôt.

- Par portion : 633 Calories – Protéines : 17 g – Glucides : 79 g – Lipides : 30 g (dont 3 g de graisses saturées) – Fibres : 5 g – Sel : 0,31 g – Pas de sucres ajoutés.

Si vous ne trouvez pas de pâtes fraîches, remplacez-les par 350 g de pâtes sèches.

Pâtes fraîches aux petits pois

Pour 4 personnes

Préparation et cuisson : 25 min

- 300 g d'échalotes
- 3 cuill. à soupe d'huile d'olive
- 3 gousses d'ail
- 4 cuill. à café de graines de cumin
- 300 g de tomates cerises
- 1/2 citron
- 1 filet de sauce forte pimentée
- 400 g de petits pois surgelés
- 500 g de penne frais
- 4 cuill. à soupe de persil plat ciselé
- sel et poivre du moulin

1 Pelez et coupez les échalotes en deux. Dans une casserole, chauffez l'huile d'olive et faites-les blondir 8 minutes. Épluchez et écrasez l'ail. Écrasez aussi légèrement les graines de cumin. Ajoutez l'ail et le cumin dans la casserole, puis laissez encore cuire 2 minutes.

2 Coupez les tomates cerises en deux. Ajoutez-les et faites revenir 5 minutes. Prélevez le zeste du citron à l'aide d'un zesteur ou d'un couteau Économe et pressez le jus. Ajoutez le zeste et le jus de citron, la sauce forte pimentée et les petits pois décongelés. Salez, poivrez et laissez cuire 2 ou 3 minutes.

3 Pendant ce temps, faites cuire les pâtes dans une grande quantité d'eau bouillante salée. Égouttez. Mélangez les pâtes aux petits pois en remuant. Parsemez de persil plat et servez.

• Par portion : 650 Calories – Protéines : 23 g – Glucides : 110 g – Lipides : 16 g (dont 2 g de graisses saturées) – Fibres : 11 g – Sel : 0,13 g – Pas de sucres ajoutés.

Utilisez des pâtes sans œufs pour ce délicieux plat
aux saveurs aigres-douces.

Pâtes aux aubergines

Pour 4 personnes
Préparation et cuisson : 25 min

- 2 aubergines moyennes
- 2 gousses d'ail
- 1 piment rouge
- 5 cuill. à soupe d'huile d'olive
  + pour badigeonner et servir
- 2 cuill. à café de graines de cumin
- 50 g de raisins secs
- 50 g de pignons de pin
- 350 g de tagliatelles
- 3 citrons
- 6 cuill. à soupe de feuilles
  de coriandre ciselées
- sel et poivre du moulin

1 Détaillez les aubergines en dés. Épluchez et hachez finement l'ail. Épépinez et émincez finement le piment. Dans une poêle, chauffez l'huile d'olive. Ajoutez les aubergines et faites doucement dorer 10 minutes, en remuant de temps en temps. Incorporez l'ail, le piment et le cumin, puis laissez encore cuire 4 ou 5 minutes. Salez, poivrez et ajoutez les raisins secs. Grillez les pignons à sec et ajoutez-les aussi.

2 Pendant ce temps, préchauffez le grill au maximum. Faites cuire les pâtes dans une grande quantité d'eau bouillante salée.

3 Coupez 2 citrons en deux. Badigeonnez-les d'un peu d'huile et grillez-les, face coupée sur le gril. Prélevez le zeste du citron restant à l'aide d'un zesteur ou d'un couteau Économe et pressez le jus. Égouttez les pâtes et ajoutez les aubergines cuites, la coriandre, le zeste et le jus de citron. Mélangez bien. Arrosez d'un peu d'huile et servez avec les demi-citrons grillés.

• Par portion : 627 Calories – Protéines : 15 g – Glucides : 79 g – Lipides : 30 g (dont 4 g de graisses saturées) – Fibres : 6 g – Sel : 0,07 g – Pas de sucres ajoutés.

Le *tom yam* est une spécialité thaïlandaise fortement épicée.

Nouilles tom yam

Pour 2 personnes
Préparation et cuisson : 35 min

- 1 petit oignon
- 1 cuill. à soupe d'huile de tournesol
- 1 poivron rouge
- 140 g de champignons de Paris
- 2 gousses d'ail
- 2 cuill. à café de pâte de curry thaï rouge
- 70 cl de bouillon de légumes
- 1 cuill. à soupe de sauce soja
- 1 citron vert
- 125 g de nouilles aux œufs
- 220 g de pousses de bambou en conserve
- 1 poignée de feuilles de coriandre

1 Épluchez et hachez l'oignon. Dans une casserole, chauffez l'huile de tournesol et faites-le dorer. Épépinez le poivron, puis émincez-le ainsi que les champignons. Ajoutez-les avec l'ail et faites revenir 3 minutes. Incorporez la pâte de curry et laissez cuire 1 minute. Versez le bouillon de légumes et la sauce soja. Prélevez le zeste du citron vert à l'aide d'un zesteur ou d'un couteau Économe. Incorporez-le et laissez frémir 3 minutes.

2 Ajoutez les nouilles et portez à ébullition. Laissez frémir 4 minutes, jusqu'à ce qu'elles soient tendres. Égouttez les pousses de bambou et incorporez-les ainsi que la plus grosse partie de la coriandre. Laissez mijoter 2 minutes.

3 Répartissez les nouilles dans les bols. Coupez le citron vert en deux et pressez-en une moitié. Versez le jus dans la casserole et arrosez les nouilles du bouillon. Parsemez du reste de coriandre.

- Par portion : 393 Calories – Protéines : 15 g – Glucides : 55 g – Lipides : 14 g (dont 1 g de graisses saturées) – Fibres : 7 g – Sel : 2,77 g – Pas de sucres ajoutés.

Adaptez ce plat à toutes les situations et utilisez les légumes que vous avez sous la main.

Salade tiède aux nouilles frites

Pour 2 personnes

Préparation et cuisson : 30 min

- huile de tournesol pour frire
- 50 g de nouilles au riz
- 1 morceau de gingembre frais de 2,5 cm de long
- 2 gousses d'ail
- 1 cuill. à soupe d'huile végétale
- 100 g de pois gourmands
- 1 carotte
- 4 cives
- 175 g d'épinards
- 100 g de germes de soja
- 1/2 petit concombre
- 50 g de noix de cajou grillées
- 1 citron vert
- 2 cuill. à café d'huile de piment
- sel et poivre du moulin

1 Chauffez 5 cm d'huile de tournesol dans une poêle jusqu'à ce qu'un morceau de pain dore en 30 secondes. Ajoutez les nouilles petit à petit et laissez frire et gonfler quelques secondes. Enlevez et égouttez sur du papier absorbant.

2 Hachez le gingembre, épluchez et écrasez l'ail. Dans un wok ou une sauteuse, chauffez l'huile végétale, ajoutez ces ingrédients et faites revenir 30 secondes. Coupez les pois gourmands en deux dans la longueur et la carotte en julienne, puis épluchez et émincez les cives. Ajoutez ces légumes et faites revenir 1 minute. Détaillez les épinards. Incorporez-les avec les germes de soja et faites tomber 1 minute.

3 Enlevez du feu. Coupez le concombre en julienne et incorporez-le. Salez et poivrez. Répartissez dans les assiettes. Concassez les noix de cajou. Garnissez-en le plat avec les nouilles frites. Pressez le jus du citron vert. Arrosez de jus de citron vert et d'huile de piment avant de servir.

- Par portion : 458 Calories – Protéines : 14 g – Glucides : 37 g – Lipides : 29 g (dont 2 g de graisses saturées) – Fibres : 6 g – Sel : 0,6 g – Pas de sucres ajoutés.

Voilà une façon originale de préparer les légumes les plus courants!

Légumes épicés à la noix de coco

Pour 4 personnes
Préparation et cuisson : 25 min

- 1 oignon rouge
- 1 oignon jaune
- 1 petit piment rouge
- 1 cuill. à soupe d'huile d'olive
- 2 carottes
- 225 g de brocolis
- 1 poivron rouge
- 1 poivron jaune
- 20 cl de crème de coco
- 20 cl de bouillon de légumes
- 1/2 cuill. à café de sauce forte pimentée

POUR SERVIR
- riz thaï nature

1   Épluchez et coupez les oignons en quartiers, épépinez et hachez le piment. Dans une poêle, chauffez l'huile d'olive et faite revenir ces ingrédients pendant 1 ou 2 minutes, en remuant de temps en temps.

2   Émincez les carottes, détaillez les brocolis en bouquets. Pour finir, épépinez et coupez les poivrons en morceaux. Ajoutez ces légumes et faites encore revenir 5 minutes.

3   Incorporez la crème de coco, le bouillon de légumes et la sauce forte. Réduisez le feu et laissez frémir 5 minutes. Servez aussitôt avec du riz thaï nature.

• Par portion : 400 Calories – Protéines : 7 g – Glucides : 14 g – Lipides : 36 g (dont 27 g de graisses saturées) – Fibres : 11 g – Sel : 0,27 g – Pas de sucres ajoutés.

Vous trouverez la sauce au piment dans les épiceries asiatiques et certains supermarchés.

Chili aux haricots et aux légumes

Pour 4 personnes
Préparation et cuisson : 55 min

- 2 oignons
- 3 cuill. à soupe d'huile d'olive
- 2 cuill. à café de sucre en poudre
- 2 gousses d'ail
- 250 g de champignons de Paris
- 2 cuill. à café de piment doux en poudre
- 1 cuill. à soupe de coriandre en poudre
- 320 g de sauce au piment douce
- 30 cl de bouillon de légumes
- 400 g de pois chiches en conserve
- 400 g de haricots noirs en conserve
- sel et poivre du moulin

POUR SERVIR
- pain ou riz nature

1   Pelez et hachez les oignons. Dans une poêle, chauffez l'huile d'olive. Faites dorer les oignons avec le sucre à feu vif. Épluchez et émincez l'ail. Émincez aussi les champignons. Ajoutez ces ingrédients, le piment et la coriandre, puis faites revenir 2 ou 3 minutes.

2   Incorporez la sauce au piment et le bouillon de légumes. Égouttez et rincez les pois chiches et les haricots. Ajoutez-les et portez à ébullition.

3   Baissez le feu, couvrez et laissez frémir 20 minutes. Ajoutez encore du bouillon si le mélange est trop épais. Salez, poivrez et servez avec du pain ou du riz nature.

- Par portion : 303 Calories – Protéines : 14 g – Glucides : 36 g – Lipides : 13 g (dont 2 g de graisses saturées) – Fibres : 8 g – Sel : 1,4 g – Sucres ajoutés : 5 g.

Préparez ce plat à l'avance et réchauffez-le vite avant de le servir.

Potée de flageolets

Pour 4 personnes
Préparation et cuisson : 40 min

- 3 courgettes moyennes
- 1 cuill. à soupe d'huile d'olive
- 15 cl de vin blanc sec
- 600 g de sauce tomate
- 140 g d'olives noires dénoyautées
- 800 g de flageolets en conserve
- 2 cuill. à soupe de romarin frais ciselé
- 2 gousses d'ail
- 2 cuill. à soupe de persil plat ciselé
- 50 g de margarine
- 1 baguette
- sel et poivre du moulin

1 Coupez les courgettes en morceaux. Dans une cocotte, chauffez l'huile d'olive et faites-les revenir 10 minutes à feu moyen.

2 Versez le vin, portez 2 minutes à ébullition et réduisez de moitié. Ajoutez la sauce tomate et les olives. Égouttez et rincez les flageolets, puis incorporez-les avec le romarin. Portez à ébullition et laissez frémir 5 minutes. Salez et poivrez.

3 Préchauffez le gril au maximum. Épluchez et écrasez l'ail. Mélangez l'ail et le persil avec la margarine. Coupez le pain en tranches, en diagonale, et tartinez-les généreusement du mélange. Déposez le pain dans la cocotte et faites dorer de 5 à 10 minutes sous le gril.

- Par portion : 546 Calories – Protéines : 24 g – Glucides : 61 g – Lipides : 22 g (dont 8 g de graisses saturées) – Fibres : 15 g – Sel : 4,35 g – Pas de sucres ajoutés.

Réalisez ce dessert avec les fruits de saison...
Vous ne vous en lasserez pas!

Crème au fruit de la Passion

Pour 2 personnes
Préparation : 10 min
Marinade : 30 min

- 1 petit citron
- 3 cuill. à soupe de vin blanc
- 1 cuill. à soupe de sucre en poudre
- 15 cl de crème fraîche épaisse
- 1 fruit de la Passion
- 1 carambole pour décorer

POUR SERVIR
- sablés

1 Prélevez finement le zeste du citron à l'aide d'un zesteur ou d'un couteau Économe et pressez le jus. Mélangez le zeste et le jus de citron avec le vin et le sucre. Laissez mariner 30 minutes.

2 Versez la crème fraîche dans le vin et battez en chantilly ferme.

3 Coupez le fruit de la Passion en deux et évidez-le. Incorporez délicatement la chair à la chantilly. Répartissez dans les verres, décorez de tranches de carambole et servez avec des sablés.

- Par portion : 394 Calories – Protéines : 2,5 g – Glucides : 12 g – Lipides : 36 g (dont 23 g de graisses saturées) – Fibres : 1 g – Sel : 0,9 g – Sucres ajoutés : 8 g.

Choisissez, de préférence, un bon chocolat riche en cacao.

Mousse au cappuccino

Pour 6 personnes

Préparation et cuisson : 15 min
Réfrigération : 20 min

- 125 g de chocolat noir
- 1 cuill. à café de café instantané
- 2 cuill. à café de liqueur de café
- 4 blancs d'œufs
- 140 g de sucre en poudre
- 30 cl de crème fraîche épaisse
- cacao en poudre pour décorer

1   Faites fondre le chocolat au bain-marie. Enlevez du feu et laissez refroidir. Diluez le café dans 2 cuillerées d'eau bouillante et mélangez à la liqueur de café. Ajoutez au chocolat en remuant.

2   Dans un saladier, battez les blancs d'œufs en neige ferme. Incorporez petit à petit le sucre jusqu'à obtenir une consistance de meringue. Mélangez 2 cuillerées de meringue au chocolat pour le détendre, puis incorporez délicatement le reste. Répartissez dans les tasses et mettez au moins 20 minutes au réfrigérateur.

3   Battez la crème fraîche en chantilly légère et nappez-en les mousses. Saupoudrez de cacao avant de servir.

- Par portion : 461 Calories – Protéines : 5 g – Glucides : 42 g – Lipides : 31 g (dont 19 g de graisses saturées) – Traces de fibres – Sel : 0,22 g – Sucres ajoutés : 38 g.

Un chaud-froid d'ananas rôti et de glace à la vanille des plus surprenants.

Ananas au rhum et aux raisins secs

Pour 4 personnes

Préparation et cuisson : 20 min

- 1 ananas
- 25 g de beurre
- 50 g de sucre muscovado (sucre roux non raffiné)
- 25 g de raisins secs
- 25 g de noix de pécan
- 3 ou 4 cuill. à soupe de rhum

POUR SERVIR
- glace à la vanille

1   Pelez et enlevez les yeux de l'ananas. Coupez-le en deux, ôtez le cœur et coupez-le en tranches. Faites fondre le beurre sur une plaque en fonte et faites dorer l'ananas pendant 3 minutes sur les deux faces.

2   Saupoudrez de sucre, ajoutez les raisins secs, les noix de pécan et laissez la sauce prendre une consistance sirupeuse.

3   Versez le rhum et flambez. Servez l'ananas nappé de sauce au rhum avec de la glace à la vanille.

- Par portion : 286 Calories – Protéines : 2 g – Glucides : 43 g – Lipides : 10 g (dont 3 g de graisses saturées) – Fibres : 3 g – Sel : 0,14 g – Sucres ajoutés : 13 g.

Vous trouverez l'arrow-root, un épaississant en poudre,
dans les magasins bio.

Crème de mascarpone
au raisin

Pour 4 personnes

Préparation et cuisson : 20 min

- 15 cl de vin rouge
- 50 g de sucre en poudre
- 2 cuill. à café d'arrow-root
- 350 g de raisins rouges, blancs et noirs
- 250 g de mascarpone
- 225 g de yaourt à la grecque
- 2 cuill. à soupe de miel

1   Dans une casserole, réunissez le vin et le sucre. Portez à ébullition et laissez frémir jusqu'à dissolution du sucre. Mélangez l'arrow-root avec un peu d'eau froide jusqu'à former une pâte lisse et ajoutez au vin. Mélangez bien. Portez 1 minute à ébullition en remuant constamment, jusqu'à épaississement du mélange.

2   Épépinez le raisin. Ajoutez les grains de raisin au vin, portez à ébullition, couvrez et laissez frémir 2 minutes. Laissez refroidir. Répartissez dans les verres.

3   Dans un saladier, battez le mascarpone, le yaourt et le miel ensemble jusqu'à obtenir une crème lisse. Nappez-en les raisins et réservez au réfrigérateur jusqu'au moment de servir.

- Par portion : 487 Calories – Pas de protéines – Glucides : 35 g – Lipides : 34 g (dont 22 g de graisses saturées) – Fibres : 1 g – Sel : 0,58 g – Sucres ajoutés : 19 g.

Cette glace au yaourt est légère et délicieusement acidulée.
Vous pouvez remplacer les canneberges par des myrtilles surgelées.

Glace au yaourt et aux canneberges

Pour 6 personnes

Préparation et cuisson : 35 min

Congélation : 3 h

Réfrigération : 20 min

- 1 orange
- 100 g de canneberges séchées
- 50 cl de yaourt à la grecque
- 50 g de sucre en poudre
- 15 cl de crème fraîche épaisse
- 3 cuill. à soupe de cognac

1 Prélevez finement le zeste de l'orange à l'aide d'un zesteur ou d'un couteau Économe et pressez le jus. Dans une casserole, réunissez les canneberges, le zeste et le jus d'orange ainsi que 15 cl d'eau. Portez à ébullition, couvrez et laissez frémir 25 minutes, jusqu'à ce que les canneberges soient tendres. Laissez refroidir.

2 Battez ensemble le yaourt, le sucre et la crème fraîche jusqu'à dissolution partielle du sucre. Incorporez le cognac et versez dans un récipient allant au congélateur. Laissez prendre pendant 3 heures. Ajoutez, en remuant, les canneberges refroidis.

3 Remettez au congélateur. Laissez détendre 20 minutes au réfrigérateur avant de servir.

• Par portion : 263 Calories – Protéines : 6 g – Glucides : 12 g – Lipides : 20 g (dont 12 g de graisses saturées) – Fibres : 1 g – Sel : 0,18 g – Sucres ajoutés : 9 g.

Un dessert léger et doux à base de framboises et d'orange...
à déguster sans modération !

Méli-mélo de framboises et de céréales

Pour 4 personnes
Préparation : 15 min
Réfrigération : 1 h

- 300 g de framboises
  + pour décorer
- 140 g de sucre glace
  + pour décorer
- 1 orange
- 225 g de fromage frais
- 40 cl de yaourt nature
- 140 g de céréales
- 4 brins de menthe pour décorer

1   Dans le bol d'un mixeur, réunissez un tiers des framboises, la moitié du sucre glace et réduisez en purée lisse. Filtrez dans une passoire pour éliminer les pépins.

2   Prélevez le zeste de l'orange à l'aide d'un zesteur ou d'un couteau Économe et pressez le jus. Dans un saladier, battez le fromage frais, le yaourt, le zeste et le jus d'orange avec le reste de sucre glace jusqu'à obtention d'un mélange lisse. Incorporez la purée de framboises et les framboises restantes.

3   Répartissez la moitié du mélange dans les verres et garnissez de la moitié des céréales. Répétez l'opération une fois. Décorez avec quelques framboises trempées dans le sucre glace et les brins de menthe. Mettez 1 heure au réfrigérateur avant de servir.

• Par portion : 565 Calories – Protéines : 20 g – Glucides : 76 g – Lipides : 22 g (dont 1 g de graisses saturées) – Fibres : 2 g – Sel : 1,46 g – Sucres ajoutés : 44 g.

*La pêche Melba est un grand classique
qui allie fraîcheur et gourmandise.*

Pêche Melba brûlée

Pour 4 personnes

Préparation et cuisson : 25 min

- 225 g de framboises
- 140 g de sucre glace
- 1 citron
- 30 cl de yaourt nature
- 225 g de fromage frais
- 2 pêches
- 50 g de sucre roux

1 Dans le bol d'un mixeur, réduisez la moitié des framboises et 25 g de sucre glace en purée lisse. Prélevez le zeste du citron à l'aide d'un zesteur ou d'un couteau Économe. Dans un saladier, réunissez le reste de sucre glace, le yaourt, le fromage frais et le zeste de citron, puis mélangez au fouet.

2 Préchauffez le gril au maximum. Pelez, coupez les pêches en deux, retirez les noyaux et émincez-les. Répartissez le reste des framboises et les pêches dans les ramequins. Nappez de purée de framboises.

3 Ajoutez le mélange au yaourt et fromage frais, puis saupoudrez de sucre roux. Passez sous le gril pour faire caraméliser. Laissez légèrement refroidir avant de servir.

- Par portion : 461 Calories – Protéines : 15 g – Glucides : 62 g – Lipides : 19 g (pas de graisses saturées) – Fibres : 2 g – Sel : 0,87 g – Sucres ajoutés : 53 g.

Un dessert tout simple que la saveur du safran
rehausse harmonieusement.

Pudding de riz au safran

Pour 4 personnes
Préparation et cuisson : 35 min

- 1 pincée de filaments de safran
- 2 citrons
- 175 g de riz rond
- 60 cl de lait
- 30 cl de crème fraîche épaisse
- 125 g de sucre en poudre

POUR SERVIR
- sablés

1 Arrosez le safran de 2 cuillerées à soupe d'eau chaude et laissez reposer 5 minutes.

2 Pendant ce temps, prélevez finement le zeste des citrons à l'aide d'un zesteur ou d'un couteau Économe et pressez le jus. Réunissez le riz, le lait, la crème fraîche, le sucre et la moitié du zeste de citron. Portez à ébullition et laissez doucement frémir de 20 à 25 minutes, jusqu'à ce que le riz soit tendre et le mélange épais. Incorporez le safran infusé et le jus de citron.

3 Répartissez dans les coupes et parsemez du zeste de citron restant. Servez avec des sablés.

- Par portion : 723 Calories – Protéines : 9 g – Glucides : 81 g   Lipides : 42 g (dont 26 g de graisses saturées) – Traces de fibres – Sel : 0,29 g – Sucres ajoutés : 33 g.

**Variez les fruits secs et frais en fonction des saisons
et des étals du marché.**

Crumble aux fruits tropicaux

Pour 4 personnes
Préparation et cuisson : 15 min

- 50 g de beurre
- 100 g de flocons d'avoine
- 6 cuill. à soupe de sucre roux
- 4 cuill. à soupe de noix de coco râpée
- 2 bananes
- 2 mangues mûres
- 225 g d'ananas en conserve

POUR SERVIR
- crème liquide ou anglaise

1   Dans une poêle, faites fondre les deux tiers du beurre. Ajoutez les flocons d'avoine, 4 cuillerées de sucre et la noix de coco, puis laissez dorer 3 ou 4 minutes en remuant de temps en temps.

2   Pendant ce temps, coupez les bananes en tranches. Pelez, coupez les mangues en deux, ôtez les noyaux et détaillez-les en morceaux. Pour finir, égouttez l'ananas et coupez-le aussi en morceaux. Faites fondre le reste de beurre dans une seconde poêle et ajoutez ces ingrédients. Saupoudrez du reste de sucre et laissez caraméliser 5 minutes à feu doux.

3   Répartissez les fruits sur les assiettes et parsemez de flocons d'avoine croustillants. Servez avec de la crème liquide ou anglaise.

• Par portion : 589 Calories – Protéines : 7 g – Glucides : 91 g – Lipides : 25 g (dont 16 g de graisses saturées) – Fibres : 11 g – Sel : 0,41 g – Sucres ajoutés : 16 g.

Réalisez ce dessert appétissant avec quatre ingrédients seulement !

Tarte aux nectarines

Pour 8 personnes
Préparation et cuisson : 30 min

- 140 g de pâte d'amande blanche
- 5 cuill. à soupe de crème fraîche épaisse
- 1 pâte feuilletée prête à l'emploi
- 4 nectarines

POUR SERVIR
- crème fraîche

1   Préchauffez le four à 200 °C (therm. 6-7). Coupez la pâte d'amande en morceaux. Réunissez-la avec la crème fraîche dans le bol d'un robot et mixez jusqu'à obtention d'une pâte homogène.

2   Déroulez la pâte et découpez un rectangle d'environ 30 cm x 25 cm. Placez le fond de pâte sur une plaque à pâtisserie et formez une bordure de 2 cm sur son pourtour. Étalez le mélange à base de pâte d'amande. Coupez les nectarines en deux, ôtez les noyaux et détaillez-les en fines tranches. Disposez-les en lignes sur le fond de tarte.

3   Enfournez et faites cuire de 15 à 20 minutes, jusqu'à ce que la pâte soit gonflée et dorée. Découpez la tarte en carrés et servez avec de la crème fraîche.

- Par portion : 311 Calories – Protéines : 4 g – Glucides : 34 g – Lipides : 18 g (dont 7 g de graisses saturées) – Fibres : 1 g – Sel : 0,39 g – Sucres ajoutés : 9 g.

La douceur de la liqueur de sureau se marie parfaitement
avec l'acidité des groseilles à maquereau.

Crumble aux groseilles à maquereau et au sureau

Pour 6 personnes
Préparation et cuisson : 55 min

- 550 g de groseilles à maquereau
- 175 g de sucre en poudre
- 3 cuill. à soupe de liqueur de fleurs de sureau
- 75 g de beurre ramolli
- 175 g de farine
- 50 g de noix de pécan

POUR SERVIR
- crème fraîche, anglaise ou glacée

1 Préchauffez le four à 190 °C (therm. 6-7). Beurrez un plat à gratin. Égrappez les groseilles à maquereau. Dans une casserole, réunissez les groseilles à maquereau, les deux tiers du sucre et la liqueur de sureau, puis faites doucement frémir 5 minutes. Versez dans le plat à gratin.

2 Coupez le beurre en dés et frottez la farine avec le beurre jusqu'à obtenir un sable grossier. Concassez grossièrement les noix de pécan. Incorporez-les avec le reste de sucre. Parsemez les groseilles à maquereau de ce crumble et égalisez. Faites dorer de 30 à 40 minutes au four.

3 Répartissez le crumble dans les assiettes et accompagnez de crème fraîche, anglaise ou glacée.

- Par portion : 381 Calories – Protéines : 5 g – Glucides : 57 g – Lipides : 17 g (dont 7 g de graisses saturées) – Fibres : 4 g – Sel : 0,25 g – Sucres ajoutés : 31 g.

Un délicieux pudding d'automne à servir avec de la crème liquide.

Pudding aux pommes et aux mûres

Pour 6 personnes
Préparation et cuisson : 55 min

- 1 grosse orange
- 75 g de farine avec levure incorporée
- 1 pincée de sel
- 75 g de matière grasse végétale
- 100 g de chapelure
- 5 cuill. à soupe de lait
- 1 grosse pomme
- 25 g de beurre
- 100 g de mûres
- 100 g de sucre en poudre

POUR SERVIR
- crème liquide

1 Préchauffez le four à 200 °C (therm. 6-7). Beurrez un plat à gratin. Prélevez finement le zeste de l'orange à l'aide d'un zesteur ou d'un couteau Économe et pressez le jus. Tamisez la farine dans un bol, ajoutez le sel, la matière grasse, la chapelure, le zeste d'orange et juste assez de lait pour faire le crumble.

2 Pelez, évidez et coupez la pomme en morceaux. Dans une poêle, faites fondre le beurre et faites cuire la pomme pendant 5 minutes, jusqu'à ce qu'elle soit tendre. Ajoutez au crumble et répartissez au fond du plat à gratin. Parsemez de mûres.

3 Dans une casserole, réunissez le jus d'orange, le sucre et 12 cl d'eau. Chauffez en remuant pour dissoudre le sucre, puis portez à ébullition jusqu'à obtenir une belle couleur dorée. Versez sur les mûres et laissez reposer 10 minutes. Faites cuire 25 minutes au four. Servez chaud ou froid avec de la crème liquide.

- Par portion : 286 Calories – Protéines : 5 g – Glucides : 56 g – Lipides : 6 g (dont 3 g de graisses saturées) – Fibres : 2 g – Sel : 0,57 g – Sucres ajoutés : 22 g.

Index

214

Crédits photographiques

L'éditeur remercie les personnes suivantes
pour l'avoir autorisé à reproduire leurs photographies.
En dépit de tous ses efforts pour lister les copyrights, l'éditeur
présente par avance ses excuses pour d'éventuels oublis
ou erreurs, et s'engage à en faire la correction dès la première
réimpression du présent ouvrage.

Chris Alack p. 21, p. 105, p. 159, p. 171, p. 179, p. 205 ; Marie-
Louise Avery p. 65, p. 101 ; Iain Bagwell p. 87 ; Clive Bozzard-Hill
p. 31, p. 59, p. 161, p. 203 ; Peter Cassidy p. 49, p. 125, p. 207,
p. 211 ; Ken Field p. 13, p. 19, p. 47, p. 109, p. 117, p. 123,
p. 129 ; Dave King p. 111, p. 139, p. 191 ; Richard Kolker p. 23,
p. 37, p. 121 ; David Munns p. 25 ; Myles New p. 57 ; Thomas
Odulate p. 39, p. 153, p. 195, p. 199, p. 201 ; William Reavell
p. 11, p. 41, p. 107, p. 127, p. 133, p. 137, p. 151, p. 165, p. 181,
p. 193, p. 197 ; Howard Shooter p. 15, p. 29, p. 163 ; Simon
Smith p. 81, p. 97, p. 115, p. 155 ; Roger Stowell p. 27, p. 33,
p. 35, p. 75, p. 77, p. 113, p. 145, p. 147 ; Sam Stowell p. 45,
p. 157, p. 167, p. 209 ; Mark Thompson p. 131 ; Trevor Vaughan
p. 53, 61, p. 71, p. 79, p. 99, p. 103, p. 135, p. 143, p. 149,
p. 187, p. 189 ; Ian Wallace p. 43, p. 175 ; Simon Wheeler p. 67,
p. 69, p. 85, p. 141, p. 185 ; Jonathan Whitaker p. 17, p. 55,
p. 119 ; Frank Wieder p. 63, p. 73, p. 83, p. 89, p. 91, p. 93,
p. 95, p. 177, p. 183 ; BBC Worldwide p. 51, p. 169, p. 173.

Toutes les recettes de ce livre ont été créées par l'équipe
de BBC Good Food Magazine et BBC Vegetarian Good Food
Magazine.

Imprimé en Espagne par Cayfosa (Impresia Ibérica)
Dépôt légal : mai 2010 - 304254/03 - 11017651 décembre 2011